MARLON BRANDO

WALLACE & DAVIS

EDIMAT LIBROS

Ediciones y Distribuciones Mateos

Calle Primavera, 35
Polígono Industrial El Malvar
28500 Arganda del Rey
MADRID-ESPAÑA

ISBN: 84-8403-048-2
Depósito legal: M. 12637-1998

Autor: Wallce & Davis
Diseño de cubierta: Diseño y Síntesis
Impreso en: BROSMAC

EDMCINMB
Marlon Brando

IMPRESO EN ESPAÑA-PRINTED IN SPAIN

MARLON BRANDO

Actores así solamente aparecen cada diez años; son como cometas de la imaginación que llegan repentinamente a las pantallas y embriagan a los espectadores desde el primer momento. Nadie sabe el secreto para este magnetismo y ni siquiera sabemos cómo mantenerlo.

Cuando conquistan bruscamente el interés del público los demás actores se ponen enfrente, con ánimo desafiante, al mismo tiempo que una legión de críticos empieza descaradamente una machacona labor de destrozarlos; es como si les molestara que el público escogiera a los actores preferidos sin tener en cuenta sus consejos y opiniones.

El mundo del cine, por su capacidad para hacernos soñar, es el más apto para la creación de estos mitos, pero no es algo que se pueda generar en un despacho de marketing. Todas las previsiones y los planes fallan cuando se trata de dirigir al espectador hacia una persona concreta, quien, haciendo uso de su derecho a entusiasmarse con la persona más insólita, es capaz de adorar al más feo, al más desagradable o al más pésimo de los actores o actrices. Detrás de él, en una oposición que se nos antoja elitista, están los críticos, quienes son capaces de hablar bien de una película que apenas han visto cien espectadores en todo el mundo.

Marlon Brando es uno de estos actores increíbles que han conseguido pasar a la historia del cine con letras de oro, a pesar de sus desplantes a la prensa (nunca se lo perdonan), su egocentrismo y su obesidad, como si esto último fuera algo criticable.

Brando fue el primero de una serie de actores que empleó un sistema nuevo en sus interpretaciones, basándose en las enseñanzas del "Método", la base del Actor's Studio. La idea era bien sencilla y no menos práctica: el actor debería aplicar sus propias experiencias personales, y hasta su carácter, en el momento de interpretar al personaje de ficción. De no hacerlo así, su interpretación sería siempre fingida y por tanto carente de verdadero contenido.

Con el paso de los años este método interpretativo ha perdido su vigencia, pero ha conseguido algo mucho más importante: dejar como leyendas vivas a varios actores que siguieron este sistema, entre ellos James Dean, Paul Newman y el propio Brando. En la actualidad no hay ni un solo director o crítico de cine que no les consideren como los mejores actores de toda la historia del cine, especialmente por su capacidad para entusiasmar al público durante docenas de años.

Hay artistas que han cambiado la manera de hacer cine y que interpretan sus personajes de manera muy personal y en ocasiones valiosas, algo que solamente está al alcance de ellos y no puede ser copiado por los actores corrientes. Brando es, sin embargo, mucho más que un actor diferente, es El Actor, el punto de partida para todos.

A través de sus muchos años de carrera cinematográfica sus películas han alcanzado éxitos dispares, del mismo modo que sus interpretaciones también han sido muy diferentes y en ocasiones desconcertantes. Se diría que teníamos que realizar un esfuerzo para seguir siendo admiradores de Brando después de ver alguna de sus películas. Al mismo tiempo, siempre ha habido algún crítico visionario que ha afirmado que la carrera de Marlon Brando como actor había tocado fondo, que estaba acabado, y esto lo han dicho tantas veces que ya solamente nos motiva una risa irónica. Ejemplos de ello los tenemos con "El último tango en París", "Apocalipse Now", "Supermán" y "El padrino"; todas estas películas llegaron en un momento en el cual los detractores de Brando decían que estaba ya definitivamente acabado.

Marlon Brando sigue siendo uno de los actores mejor pagados de la historia del cine, aun cuando su intervención se limite a unos pocos minutos. Cuando aparece en la pantalla nos atrapa y hace que los demás actores queden anulados, por buenos que sean. Esto es algo que el espectador incluso percibe con facilidad y si miramos la expresión de los demás actores cuando actúan al lado de Brando veremos una mirada hostil y al mismo tiempo cabizbaja. Saben que en ese momento, en esa escena, ningún espectador estará pendiente de ellos, que Marlon Brando acapara todas las miradas.

Cuando vemos una película suya la realidad es que nunca sabemos con certeza cómo va a ser, lo que nos va a demostrar. No es un actor repetitivo, aunque en realidad esperemos que lo sea, y lo cierto es que siempre nos sorprende, al menos más que ningún otro actor norteamericano.

La obra de teatro "Truckline Café", con Elia Kazan como productor y Harold Clurman como director, estaba pensada para otro actor, pero Kazan había conocido ya a Brando y deseaba darle una nueva oportunidad, aunque tenía sus reservas de que pudiera dar la talla. El primer día del ensayo el actor estaba en un rincón, sin hablar con nadie y, según Stella Adler (esposa de Clurman), se había pasado los últimos días haciendo pesas. Nadie le prestaba atención y casi podríamos asegurar que era una postura deliberada, de animadversión a ese actor novato que iba a realizar una gran obra sin haber demostrado siquiera que sabía interpretar.

La escena principal consistía en un soldado que entra en un café y, después de salir de una cabina y tener un enfrentamiento con su mujer, dice que la ha matado disparando repetidas veces con su pistola. Tal fue la pasión que ese actor puso repitiendo las palabras: "... la disparé, la disparé, la disparé", que el estudio en pleno enmudeció de asombro. Cuando siguió rodándose la escena todos los técnicos asistieron atónitos y entusiasmados ante ese joven actor que tenían delante, incluido el actor que deseaba realizar el mismo papel, Kevin McCarthy.

Durante los años de la posguerra los jóvenes se rebelaron contra la utopía social que mostraba la familia como el lugar idóneo para la felicidad. Los padres, la escuela y el trabajo eran el soporte imprescindible para la sociedad, pero los jóvenes no estaban de acuerdo y con gran sorpresa para todos, educadores, padres y políticos, fueron los actores quienes les indicaron que debían romper moldes si deseaban ser felices. La película "Salvaje" fue el inicio de esa rebelión juvenil, primeramente en el modo de vestir, con camisetas y vaqueros no demasiado limpios ni planchados. Marlon Brando fue la imagen perfecta para imitar, que, con sus gestos, su forma de hablar, contagió y consiguió cambiar la cultura de toda una generación. Bastó una sola película para que todo cambiara de una manera vertiginosa.

La generación de los años 50 trataba de huir de la depresión, escapar del sistema social heredado, y para eso necesitan líderes que tuvieran poder e influencia. James Dean y Marlon Brando fueron el detonante que necesitaban y se convirtieron en sus abanderados. Además de sus propios personajes, en su vida privada eran iguales, sus interpretaciones mostraban su auténtico carácter, por lo que tenían un atractivo mucho mayor que los actores más tradicionales, como Clark Gable y John Wayne, magníficos y poderosos, pero quizá solamente en la pantalla.

Su forma de actuar era hasta entonces totalmente desconocida, tan real como una persona de la calle, pero llena de poesía y de arte. Brando resistía perfectamente los primeros planos, lo mismo que cuando andaba o peleaba; no había un solo momento en el cual su imagen perdiera interés o categoría. Los demás actores le acusaban de narcisista, exageradamente teatral, y decían que en realidad desconocía su oficio. En sus primeras entrevistas Brando nunca negó que su interés por el cine fuera exclusivamente económico:

"Me hice actor porque no sabía hacer otra cosa y necesitaba escapar de la rutina. Quería huir de mí mismo y camuflarme con otra forma de ser."

Cuando el Actor's Studio se formó en otoño de 1947, Brando ya había trabajado en los teatros de Broadway con un éxito mediocre y reconoce que se matriculó en esa academia de actores por consejo de su psicoanalista Mittelman. Allí estaban ya Montgomery Clift, Shelley Winter y Eva Marie Saint, todos dirigidos por Boby Lewis, quien se encargaba de los actores más experimentados. El grupo lo componían unas cuarenta personas y también había otro grupo de unos treinta y cinco actores que estaban dirigidos por Kazan. Estos actores novatos no entraban voluntariamente, ya que debían pasar una prueba previa de calidad para demostrar que tenían talento.

Cuando Brando realizó su escena de prueba todo el mundo quedó de acuerdo en que tenía una cualidad inédita hasta entonces, una mezcla de atractivo sexual y carisma que entusiasmó a Kazan. La prueba fue presenciada por Anthony Quinn, que aplaudió la escena.

El resultado de ese día fue el papel principal en la obra teatral "Un tranvía llamado Deseo", que se estrenó el 3 de diciembre de 1947, solamente dos meses después de aquella prueba que pasó a la historia. Los espectadores nunca habían visto nada parecido sobre un escenario, especialmente las mujeres, que se quedaron sin aliento al ver a ese joven tan vigoroso y de tanto atractivo sexual para ellas. Su papel de matón tenía, sin embargo, cierta ambivalencia sexual, lo que hizo que gustara por igual a las mujeres y a los hombres. Esa dualidad, parece ser que fue acogida posteriormente por James Dean, con el mismo resultado.

El éxito fue tan apoteósico que los amigos de Brando afirmaron que el personaje había cambiado al actor, que ya no era el mismo y que se movía en su vida privada como Stanley, interpretando más que viviendo su vida. Su camerino estaba lleno de docenas de llaves de mujeres de todas las edades que querían recibirle en privado y colmarle de caricias, aunque él nunca le dio más importancia que a los aplausos de todas las tardes.

"Esas llaves son solamente de mujeres estupendas que se las han dejado olvidadas en mi camerino —dijo irónicamente—. He utilizado solamente dos o tres de estas llaves y ciertamente es un papel agotador."

Marlon y Montgomery Clift se unieron en estas correrías amorosas y se intercambiaban los apartamentos, como si fueran "canguros" cuidando niños. Su atractivo para las mujeres rompió todos los moldes y estaban marcados exclusivamente por el sexo, algo muy alejado de la idea de hombres varoniles y apuestos de los demás actores. Junto a su sexualidad exhibía una gran inteligencia y, por supuesto, una fuerte sensibilidad, aunque Monty demostraba una mayor emotividad y sensibilidad que Brando en sus relaciones personales.

Lo que todo el mundo empezaba a tener claro es que Brando era diferente y a muchos directores eso les daba miedo; le hacía impredecible durante el rodaje. Para Kazan, sin embargo, ese defecto era muy positivo y le agradaba mucho. Ambos tenían puntos en común y por eso se llevaban bien. Compartían la necesidad de arriesgarse en su trabajo y de no someterse a los convencionalismos de la industria del cine. Era necesario sentirse libres para poder realizar cualquier trabajo.

Brando no se encerraba nunca en sí mismo y cuando estaba en los estudios solía fijarse en todos los actores que estaban a su alrededor, incluso cuando estaban descansando entre escena y escena. Si alguno de ellos hacía algún movimiento instintivo se acercaba a él y le preguntaba el motivo, si es que lo había. Era como un papel secante que absorbía todo lo que ocurría a su alrededor y nada se escapaba a sus ojos. Consciente de todo lo que sucedía a su alrededor, pronto comprendió mejor que la mayoría de los actores los secretos de la buena interpretación y nunca más volvió a escuchar consejos de nadie. Era ya un gran actor a los pocos años de estar en el cine.

Pero quizá a los ojos del lector esta actitud le pueda parecer egocéntrica hasta grado sumo, pero en Brando no es así. Cuando actuaba no se consideraba nunca como El Actor, sino como el personaje que estaba interpretando, aunque también es cierto que trabajaba con tanta concentración que a su alrededor la imagen palidecía. Sus amigos le decían que no olvidara que solamente se trataba de personajes de ficción, que no tenían nada que ver con su verdadero carácter.

"Cuando hacemos un papel —decía— no somos ya el actor dentro de un personaje; somos el mismo personaje y debemos olvidarnos de nosotros mismos. Para estar dentro del personaje hay que sentirlo."

Ese comportamiento de Brando en escena hay quien dice que no era una faceta de su personalidad, sino que formaba parte del célebre "Método" del Actor's Studio, mediante el cual al actor le está permitido ser él mismo y sentir sus propias emociones, todo ello permitiéndole traspasar las normas, puesto que el método no tiene normas. El único personaje que existe en ese momento es el personaje mismo.

Existe una escena en "La ley del silencio" que explica esto y es cuando ambos hermanos están juntos en un coche y Rod Steiger apunta a Brando con una pistola. En lugar de decir ¡oh, Dios mío!, simplemente le mira y expresa en sus ojos toda la pena que siente por su hermano. Lo curioso del caso es que la escena fue totalmente improvisada por parte de Marlon, ya que nunca la ensayó previamente.

Marlon Brando consiguió llevar el método norteamericano de interpretación al cine y provocar, sin pretenderlo, una nueva generación de actores muy preparados y que aún hoy son irrepetibles. No pretendían criticar el modo de interpretación vigente en Hollywood hasta entonces, sino solamente añadirle elementos nuevos. Los actores míticos de ese momento eran extraordinarios, pero anulaban totalmente al resto del reparto con su poderío y su enorme popularidad. La película giraba a su alrededor y obligaba a los demás actores a no tratar de destacar en absoluto, a favor de la estrella.

La posguerra también contribuyó a estos cambios, ya que incluso la sociedad los reclamaba y deseaba una mayor oportunidad para los nuevos valores, especialmente los jóvenes. Era necesario tomar parte en los cambios que se avecinaban y comprometerse más en la sociedad, olvidándose de esa actitud pasiva que hasta entonces habían adoptado, más que nada por el excesivo protagonismo de los mayores.

No se trataba de ser una buena persona, al estilo de James Stewart, y no importaba que le considerase déspota o desagradable, ya que se trataba solamente de interpretar correctamente. Esa postura, que en un principio fue muy criticada por la prensa, posteriormente la asimilaron la mayoría de los actores y aún perdura, llegando a un punto en el cual a la mayoría de los actores cada vez les afectan menos las críticas sobre su persona; solamente les preocupa la reacción del público.

Podríamos considerar que la mayoría de los actores actuales deben todo su poderío a Brando y por tanto todos están en deuda con él. Se atrevió a llevar a la pantalla la irreverencia y demostró que no era malo ser impredecible ni peligroso. Había que entender el personaje (nunca memorizarlo), cuál era el aspecto que había que mostrar, tomar las riendas y dejarse llevar.

FRANCIS FORD COPPOLA

Coppola también sintió la necesidad de trabajar con Brando, aunque ciertamente le asustaba su carácter. Le habían hablado tanto de sus ataques de ira, de su egocentrismo y de su falta de memoria, que estaba ciertamente preocupado por incluirle en una película que costaba casi un millón de dólares diarios. Sus amigos directores le advirtieron: "Hace noventa y nueve tomas malas y la última es soberbia; ten paciencia."

"Yo le había visto hacía poco en 'El baile de los malditos', se justificó Coppola, *y le encontré magnífico, muy seguro de sí mismo y realizando una gran interpretación. No era la típica estrella de cine que es adorada por los ejecutivos; parecía que se había hecho a sí mismo, como si fuera un invento propio y no un producto de sus padres. Parecía como una escultura esculpida en granito con sumo cuidado y muy estudiada."*

"Brando esperaba hasta el último momento —afirmaba Edward Dmytrik, director de "El baile de los malditos"— *para hacer algo, mientras que Monty se preparaba. Esto me asustaba mucho, porque, aunque no tuvieran que actuar juntos en la misma escena, salvo al final, pensé que no podrían*

*encajar y habría problemas. Monty era un actor de una sola
toma y solía consultar mucho al director sobre lo que debería hacer. Pero con Marlon Brando todo era diferente y
cualquier sugerencia que hiciera había que discutirla; no
aceptaba un no por respuesta, o al menos por única respuesta. A mí no me gustaban los actores del 'Método', porque los consideraba holgazanes y que se pasaban todo el
tiempo discutiendo con los directores para imponer su criterio.*

*Pues con Brando era lo mismo. Nunca sabía qué es lo
que iba a realizar delante de las cámaras, no se sabía el
texto y ni siquiera intentaba memorizarlo; no le interesaba
saber nada de lo que estaba planificando y solamente estaba
interesado en improvisar y dejar constancia de su habilidad.
Al cabo de tres días solamente habíamos conseguido una escena con él buena; de seguir así sería la ruina."*

Con Stanley Kubrick, el director inicial de "El rostro impenetrable", las cosas no fueron mejores. Aunque al principio sentían una especie de admiración mutua, con el paso de
los días las discrepancias fueron tan intensas que la producción tuvo que suspenderse varias veces. Cuando las cosas
habían llegado a un punto muerto intolerable todos se senta-
ron a hablar y Marlon, portando un gong, dijo que cada uno
tenía solamente dos minutos para hablar. Pero la realidad es
que no escuchó a nadie y solamente estaba pendiente de tocar el gong para que el siguiente tuviera su oportunidad de
hablar.

El resultado final es que Kubrick, imposibilitado para
conseguir exponer su opinión, abandonó la sala y comunicó
a sus interlocutores que desde ese momento Brando iba a dirigir la película. Su labor fue correcta, incluso memorable,
pero dados los malos resultados económicos en taquilla
nunca más se sintió tentado a ponerse detrás de una cámara.

El público no respondió como en otras ocasiones, no sintiendo ninguna necesidad de acudir al cine para pasar un rato desagradable viendo cómo dan docenas de latigazos a su ídolo, en una mezcla de masoquismo y virilidad que no era necesaria.

Hay quien sostiene que la lenta agonía de Brando como actor se debe a que sus personajes acaban sufriendo y en ocasiones hasta torturados, lo que produce un rechazo en el espectador que quiere ver a sus ídolos siempre triunfantes, guapos y dando el gran beso final a la chica. Indudablemente es más fácil sentirse atraído por un actor si permanece siempre guapo en la película que si le vemos tirado en el fango y pisoteado por unos caballos. Pero Brando no estaba dispuesto a ser un guapo actor que las enamora y no dudó ni un momento en hacer papeles tan desagradables como el de "¡Viva Zapata!", donde acaba finalmente acribillado por cientos de balas; "La casa de té de la luna de agosto", disfrazado de un ridículo japonés; "El baile de los malditos", encarando a un alemán que muere de un tiro hundido en el fango; "Sierra prohibida", con barba y bigote que le envejecía; "Candy" como un estrafalario gurú, sin olvidar "Apocalipse Now", en el papel del esquizofrénico coronel Kutz de 140 kilos de peso, o "La isla del doctor Moreau", como el más horripilante y desagradable de todos sus personajes.

Así es casi imposible que perdure uno solo de sus clubs de fans. Compare el lector estos personajes con los que interpretaron Rock Hudson, Clark Gable, Harrison Ford o Sean Connery, triunfantes y ganando casi todas las batallas, y verán la causa del poco entusiasmo que hoy día genera entre las nuevas generaciones.

Que un actor considerado muy atractivo por sus fans envejezca es fácil de asimilar y no por ello debe producir rechazo entre sus admiradores. Ejemplos de ello los tenemos en Cliff Eastwood, Sean Connery, Gregory Peck o Paul

Newman, antaño galanes indiscutibles y hoy en día, con más de sesenta años a sus espaldas, aún conservan todo su atractivo. Las canas, en su caso, les proporcionan categoría, solidez y por supuesto carisma. Pero el caso de Marlon Brando es diferente y creemos que se debe al rechazo que la obesidad produce en las personas, mucho más que la misma vejez. Por algún motivo oculto, no sabemos la causa por la cual no se perdona a un actor que engorde demasiado, como si eso supusiera una pérdida de sus facultades como actor. Y si en lugar de un actor es una actriz, el descrédito ya es más apoteósico y la burla aparece en cualquier comentario.

A Sofía Loren, Jane Fonda y Lauren Bacall, por poner unos ejemplos, se las perdona sus muchos años solamente por el hecho de que han logrado permanecer delgadas. Es como si el público agradeciera ese detalle hacia ellos, sus apasionados admiradores.

Lean cualquier crítica actual hacia Marlon Brando y observarán que todos los comentarios negativos se centran exclusivamente en su obesidad. Es igual que siga siendo tan extraordinario actor como siempre y que se esfuerce más que nunca en agradar; todo ello no tiene importancia si lo ponemos junto a su gordura.

Pero eso no forma parte del lenguaje interpretativo de Brando. Él solamente habla de la condición humana y quiere demostrar que el resultado final de nuestros actos puede verse como una victoria o una derrota, según el punto de vista. Hoy día mencionar su nombre no parece despertar el entusiasmo de nadie y todo el mundo le tiene en el punto de mira como el actor acabado, decrépito y sin ningún interés para el público. Sin embargo, los productores no opinan lo mismo y le siguen pagando las altas cifras de dólares que exige a veces por una actuación de apenas unos minutos.

Indudablemente Brando ya no es una figura con glamour y creo que lo dejó de ser definitivamente cuando comenzó a engordar. Además, sus ahora detractores dicen que el problema no radica ahí sino en su trato con las personas; no puede mantener una conversación con nadie y cuando habla es difícil saber de qué está hablando. Está en su propio mundo y por ello utiliza su propio lenguaje. Se ha convertido en una persona extraña, aunque quizá se deba a la soledad en la cual se ha visto obligado a vivir para que la prensa le deje en paz.

Anteriormente, hay quien recuerda como algo imborrable los momentos previos al rodaje de "El padrino", como es el caso del director Francis Ford Coppola:

"La Paramount no estaba muy decidida a realizar la película después del fracaso de 'Mafia' con Kirk Douglas, ni mucho menos a tener que aguantar los desplantes de Brando. Así que me dijeron que ofreciera el papel a Laurence Olivier, pero cuando éste rechazó la oferta solamente les quedaba Brando, el cual aceptó intervenir. La Paramount le puso tres condiciones: trabajaría gratis a cambio de un porcentaje en taquilla, debería hacer un casting como cualquier otro actor y bajo ningún concepto su comportamiento retrasaría o encarecería el rodaje.

La prueba no era parecida a ninguna otra, ya que no competiría con ningún otro candidato, sino consigo mismo. Solamente se trataba de ver cómo daba en la pantalla y si en verdad seguía conservando sus grandes cualidades como actor. Un simple fotógrafo con una cámara portátil de 16 milímetros fue todo el equipo que necesitó Coppola para tomar unas secuencias de Brando en acción. Bueno, también llevó un attrezzo increíble, consistente en salchichas italianas, puros y numerosos platos llenos de comida tradicional de Italia.

La cámara estaba semioculta y no había ninguna orden expresa de lo que se debería hacer. Pero a partir de ahí co-

menzó el milagro: Brando se levantó sin decir palabra, miró alrededor, orgulloso, cogió betún y embadurnó su pelo, pasando a continuación a meterse algunas bolas de papel en las mejillas; todo sin que nadie le dijera lo más mínimo. Sabía perfectamente su misión y cuál sería la caracterización adecuada de su personaje, incluso hasta atinó a la primera en el modo en que comen los italianos poderosos. El personaje de Corleone era perfecto, incluso cuando sonó el teléfono y simuló hablar una conversación trascendente. Nunca se había visto en toda la historia del cine un casting tan autodirigido, ni tan perfecto.

Coppola visitó a los directivos de la Paramount al día siguiente con las secuencias filmadas, pero lo que vieron no les gustó. La negativa era rotunda, pero no contaban con la tenacidad de Coppola que les insistió en que siguieran mirando toda la secuencia. Al final quedaron, lógicamente, entusiasmados.

Pero Brando les demostró una vez más que no era un actor mítico por casualidad y cuando comenzó el rodaje su expresión y atuendo ya no se parecían en nada a los de la prueba. O había olvidado todo o quería modificar su actuación justo ahora, cuando todo iba a comenzar. Empezó a tergiversar todo el texto, no interpretaba a Corleone y su mandíbula se resistía a moverse con soltura.

Las primeras semanas fueron desastrosas, no se conseguía rodar ni un solo plano que sirviera y, para colmo, Brando dijo que le era imposible acordarse del texto. Para solucionarlo instalamos ese aparato en donde el actor puede leer lo que tiene que decir, pero no le gustó la idea de repetir mecánicamente las frases. Insistió en que nadie habla así en la vida real, en donde todo es improvisación. Al final, por supuesto, todo salió correcto y la película fue un auténtico éxito de público y taquilla."

Marlon no es un gran trabajador y podríamos asegurar que es bastante perezoso, no gustándole ensayar, pensar o repetir nada que suponga un esfuerzo. Incluso físicamente le podemos ver que no gusta de correr o moverse con soltura. Normalmente suele llegar tarde a su trabajo y cuando lo hace no pide disculpas y ni siquiera se excusa diciendo que ha preparado el papel con anterioridad. Cuando se le pregunta cómo se las va a arreglar para interpretar alega que ése es precisamente su método, la improvisación continuada.

Cuando el problema de memoria se hace más importante es capaz de anotar el texto que tiene que decir en la frente del actor que tiene delante, aunque lo que allí escribe son solamente ideas, nunca frases del guión. Su falta de memoria ya es tradicional y cuando se ve apurado para recordar algo en pleno rodaje se toca la barbilla, efectúa un murmullo simulando meditar, y en ese momento quizá, con un poco de suerte, consigue recordar lo que iba a decir.

SU MALA REPUTACIÓN

Su mal carácter es algo que nadie duda ya; después de tantos años ya son pocos los directores que pueden asegurar que trabajar con él es o ha sido una delicia. Se le acusa de irracional, terco, egocéntrico y de manipular la producción cuando quiere, hasta el punto de conseguir, de manera exclusiva, detener totalmente el rodaje de una película hasta que nuevamente lo decida. Para otros directores, sin embargo, es solamente un excéntrico difícil de entender, pero sumamente responsable con su trabajo.

Respecto a su comercialidad también hay disparidad de opiniones, ya que mientras hay quien opina que su presencia es suficiente para asegurar la rentabilidad de una película, otros afirman lo contrario, que además de su alto sueldo hay muchos espectadores que nunca irían a ver una película si Marlon Brando es el protagonista. Creo que esta última afirmación es totalmente falsa y aunque existen películas como "Queimada" que fueron un desastre económico, otras no hubieran recaudado tanto dinero sin la presencia de Brando, como es el caso de "El padrino" y "El último tango en París".

"Si Marlon Brando está en una película —dijo en una ocasión el presidente de la Paramount— se recaudarán cinco millones menos de dólares que si no trabaja en ella."

Pero para conseguir que su personaje de jefe de la mafia fuera más verosímil no bastaba con el mal humor tradicional de Brando, y al productor Albert Ruddy se le ocurrió la feliz idea de traer algunos matones pertenecientes a los bajos fondos, para que hablaran con Brando y le asesoraran sobre cómo se comportaban los verdaderos mafiosos. Curiosamente, la relación entre ambos fue muy fructífera, casi como una gran familia, y podemos asegurar que algunas de las características del personaje son habituales en los gángsters.

El director Coppola se dio cuenta en seguida de que ese actor requería un modo de trabajar distinto a los demás y que no gustaba de ninguna ambigüedad en el momento de interpretar. No quiere dejar al azar ningún cabo suelto y pregunta detalles tan esenciales para él como qué grado de enfado debe tener, cuánto sueño debe mostrar y, especialmente, dónde se encontrará la cámara en todo momento. Quiere controlar toda su interpretación y eso deja ya en entredicho la creencia de que le gusta improvisar continuamente. Quizá lo haga con su personaje, con el texto, pero nunca con su propia persona ni con el aspecto técnico.

En contraposición a quienes dicen que es un actor intolerable y caprichoso, otros dicen que no es cierto, que es muy fácil de llevar. El único requisito es ser muy profesional y que dándole la dirección adecuada es el actor más fácil de dirigir. No es necesario emplear mano dura con él, y siempre es más conveniente dejarle que aporte sus propios conocimientos sobre el cine y darle cierta libertad para que mejore a su personaje. Esa postura fue la que adoptó Coppola durante el rodaje de "El padrino", demostrándonos a todos que Brando era una leyenda viva del cine y esa categoría se la había ganado merecidamente, por su gran talento. Quizá sea complicado de tratar, pero nunca difícil, y es posible que se porte temerariamente en su actuación, rozando a veces lo irracional, pero siempre le ha dado buen resultado.

SU VIDA PERSONAL

Como cualquier otra persona, Marlon Brando ha tenido su vida personal sometida a zozobras y problemas, destacando en la prensa por ellas más de lo que él hubiera deseado nunca. Para muchos críticos negativos, ciertos acontecimientos oscuros de su vida personal ha sido motivo para desprestigiarle como actor, del mismo modo que para otros es su obesidad. Todos estos comentarios tan destructivos sobre su persona le afectaron seriamente, se refugió en su isla privada y se apartó del cine durante algunos años.

"Desde que tengo exceso de peso he librado una larga batalla —se justificó en una ocasión—: consigo perder diez kilos rápidamente, pero los gano otra vez con la misma rapidez. Creo que la comida actúa como una forma de compensarnos de nuestras tristezas o temores. Puede que no me guste a mí mismo."

Sus problemas de peso eran cada día más importantes y durante el rodaje de "Apocalipse Now" llegó a pesar 140 kilos, bastante más que aquellos ya preocupantes 90 kilos que mostró desnudo sin pudor en "El último tango en París". Si la teoría de la obesidad está ciertamente ligada al psiquismo, Brando por fuerza debería ser una persona hundida y sumida en la tristeza, lo que no parece totalmente claro, a juzgar por sus últimas actuaciones en el cine.

Otros actores murieron antes de que la tristeza se apodera-da de ellos, como es el caso de James Dean, y para los afi-cionados, que ven a las estrellas como personas privilegia-das, la tristeza de sus ídolos es incomprensible. Parece anormal que una persona que ha triunfado y que gana más dinero que cien aficionados juntos, pueda estar inmersa en una gran depresión o decir, simplemente, que no es feliz. Los que sobreviven suelen pasar una vejez sumida en el ais-lamiento, como es el caso de Greta Garbo, o se dedican a la-bores humanitarias para no caer en ese estado irreversible de pesimismo, caso de Danny Kaye o Audrey Hepburn.

Pero mucho más importante que sus problemas estéticos o de salud fue el juicio en el cual se vio involucrado su hijo, cuando fue acusado de matar a un hombre para proteger a su hermana. Quienes pudieron verle en la sala del juicio, en donde el fiscal se cebaba en su hijo y pedía la cadena perpe-tua, pudieron ver a un Marlon Brando hundido, llorando mientras respondía a las preguntas de su abogado y tenía que reconocer que, efectivamente, su hijo había matado a ese hombre para proteger a su hermana. También añadió que la severidad de la sentencia condenando a su hijo era un castigo hacia él, una advertencia a todos los actores popula-res para que supieran que la ley es igualmente de severa con todos.

"Quiero dejar constancia aquí, en esta sala —dijo—, que se ha condenado duramente a mi hijo por ser precisa-mente hijo de Marlon Brando, no por sus acciones."

Después, el sentimiento de culpabilidad le envolvió durante muchos meses, renegando por haberse dedicado al cine con tanto entusiasmo en lugar de estar más tiempo con sus hijos. Con el paso de los meses se fue recuperando y llegó a manifestar que el ser actor no era una suerte sino una maldición, que impedía que las personas pudiesen tener una vida familiar tranquila y dedicada a los suyos.

"En el fondo yo todavía me considero un niño y me gustaría dejar de crecer para no perder este momento. Soy un niño en el cuerpo de una persona mayor, por eso me gusta conocer a niños y hablar con ellos."

SOBERBIA O INSEGURIDAD

Le acusan de excederse en sus interpretaciones y de robar el protagonismo a todos, incluso a la historia misma que se está contando, pero esta actitud no es deliberada, sino consecuencia de su gran pasión por el cine y su deseo de hacerlo cada vez mejor. Por eso introduce numerosas frases o gestos en sus interpretaciones que no están en el guión e incluso que ni siquiera ha comentado al director. Las incorpora súbitamente y ni siquiera se toma la molestia de preguntar qué les ha parecido.

Otros directores han percibido que en realidad Brando tiene miedo a empezar a actuar; siente que todas las miradas están puestas sobre su persona y esperan que haga algo grandioso. Nota que todos son sumamente exigentes con él y quizá esperan ver un fallo, uno solo, con el cual poder decir que está acabado. Por eso se manifiesta huraño, retraído y poco comunicativo en los rodajes. Esta postura es confundida con la soberbia.

Brando es muy severo y estricto con su tiempo de trabajo y no regala un solo minuto a la productora si no se lo paga. Cronometra los días pactados en el contrato y es rígido durante las horas de rodaje. Si la película no se acaba en el tiempo contratado pedirá más dinero o se irá, y si el director decide que es necesario hablar antes de empezar a rodar, esos minutos de charla deben ser remunerados como si fueran de rodaje.

"No es cierto eso que dicen que Marlon es un déspota —afirma un amigo suyo—, es sumamente sincero durante su trabajo y siempre realiza una interpretación magistral. En el momento en que comienza a actuar es una excelente persona y ayuda a sus compañeros en su trabajo, pidiéndoles que sean libres en su forma de actuar y se ofrece para ayudarles en todo. Nunca les mira por encima del hombro, aunque tampoco se disculpa cuando se equivoca, ni le gusta modificar su trabajo. Es sumamente ingenioso y nunca deja de sorprender a todos. Esa clase de talento hay que recompensarla de algún modo, ya sea con dinero o con algún privilegio. Ciertamente no es fácil estar de acuerdo con él en todo, pero no importa, y debemos perdonarle y tener paciencia con su carácter; estamos tratando con un actor único en el mundo y eso nos exige cierta tolerancia."

LA OBESIDAD

Con el paso de los años su talento no ha menguado y su atractivo tampoco, aunque la mayoría de la gente opine que sí. Sus cambios físicos son normales en todo proceso de envejecimiento y ninguna de sus admiradoras, que fueron jóvenes y envejecieron con él, dirá que es feo o decrépito. Esos comentarios los dejamos para las jovencitas de dieciocho años a quienes solamente le atraen los actores de su misma generación. Nuestro concepto de la belleza va cambiando con el paso de los años y es totalmente normal que un anciano de setenta años encuentre sexy y fascinante a su compañera de sesenta y nueve años. De no ser así, el amor solamente ocurriría en la juventud y enfocado a personas hermosas, cuando es notorio que no es así.

Lo verdaderamente importante es reconocer su talento y sus grandes dotes de actor, que le colocan quizá en el podium de las grandes estrellas de Hollywood, sin que nadie le haga sombra todavía después de casi medio siglo de interpretaciones en el cine. Hoy en día sigue lleno de vida y no tolera las tonterías que toleran los demás compañeros, y para la mayoría de los actores famosos trabajar a su lado sigue siendo un orgullo y un privilegio que no todos pueden tener.

SUS AÑOS JÓVENES

Brando representó a una generación de jóvenes de la posguerra que tenían manía por su seguridad. Como si ya fuera el protagonista de una película, en la década de los años 40 Brando no tenía ningún código, únicamente sus instintos le indicaban cómo debía comportarse. Él se desarrolló en las calles actuando a veces como líder de una pandilla que se movía siempre al límite de la ley y en ocasiones entrando en la delincuencia. Era una persona antisocial porque había conocido ya lo insolidaria que era la sociedad cuando ocurrió el crac norteamericano. Se convirtió en un héroe siendo aún muy joven, porque era lo suficientemente fuerte como para que no le afectara la crisis económica y social que conmocionó a Norteamérica.

Había en su vida un sexto sentido que le empujaba a buscar momentos excitantes, de auténtico peligro, aunque quizá lo más destacable de su carácter fuera que tenía ese sello de los niños orgullosos, forjados duramente en el peligro de las calles. Tenía un aspecto ciertamente humorístico cuando se pavoneaba delante de las chicas y mostraba su arrogancia vana y pueril, algo que era muy típico entre los jóvenes norteamericanos. Se le podía considerar como potencialmente peligroso sin que llegara a serlo en ningún momento, pero al menos manifestaba ideas que hacían temblar a quienes las oían.

No tenía ninguna teoría definida, una filosofía, y ni siquiera deseos especiales de llegar a ser un ídolo. No le interesaban los problemas sociales ni buscar un trabajo o ganar la respetabilidad de los mayores, y no le interesaban sencillamente porque no se consideraba un joven, sino un hombre grande. ¿Qué hay menos atractivo que un hombre joven preocupado por sus problemas juveniles?, dicen que afirmó en una ocasión para justificar su prematura madurez. Hoy día esta postura no nos extraña y la consideramos como una versión contemporánea del americano libre.

Puede ser que Brando no tuviera ningún código, exceptuado un estético compromiso de venganza contra aquellas personas en las que había confiado y que le habían traicionado. Así era él, una persona primitiva, un todavía niño metido en un callejón sin salida, con su alta vulnerabilidad a las manipulaciones. Su carácter interno era sumamente exploratorio, tentativo, y tan cauteloso que podríamos deducir que ello le provocó el rechazo de las personas que le rodeaban. Nosotros, entre el público, nos sentimos protectores cuando le vemos en sus primeras películas, ya que sabemos por su biografía cuán solitario estuvo en su juventud y cuánta verdad encierran sus personajes de ficción.

¿Quién desea ser un forastero en el infierno? De joven no era un intelectual que pudiera razonar sensatamente su forma de vida y pronto aprendió a aceptar su destino, si quería vivir sin sufrir. Solamente podía sentir la vida, estar en ella y compartirla con otros cientos de niños que vivían las mismas situaciones. Cuando interpretó la película "Salvaje" afirmó que: "Ésta es la historia de mi vida."

Brando interpretó diversas variantes sobre temas de juventud rebelde: desde muy buenas a otras de baja calidad. Fue un bruto embriagado por su ego llamado Stanley Kowalski, con su violencia sugerida siempre detrás de cualquier discurso y manteniendo continuamente su cara hosca; un Val Xavier triste y malhumorado en la obra "Orpheus Descending", al que vemos de nuevo con un papel similar a "Salvaje", y especialmente en las primeras escenas de "Piel de serpiente", con un papel inverosímil, mítico, como un artista rebelde y creativo, mostrando posibilidades clásicas en su interpretación que nunca más volvió a repetir.

También era nuestro joven y enojado delincuente, algo malvado, un rebelde que nos hizo meditar sobre el poderío de los jóvenes. Cuando, como Terry Malloy en "La Ley del Silencio", él le dice a su hermano: "Oh Charlie, oh Charlie... tú no comprendes. Yo podría haber tenido mucha clase. Yo podría haber sido un gran luchador. Podría haber sido alguien, en lugar de un vagabundo que es lo único que soy", él habló por todas nuestras esperanzas fracasadas. Era el gran lamento estadounidense de Broadway, de Hollywood, así como también de los muelles.

Durante la tarde del 3 de diciembre de 1947, poco antes de elevarse la cortina para el estreno de "Un tranvía llamado Deseo" en el Ethel Barrymore Teatro de Nueva York, Marlon Brando recibió un telegrama del autor de la obra:

"SALGA AFUERA MUCHACHO Y HAGA BIEN SU TRABAJO. USTED TIENE ALGO QUE HACER EN EL MUNDO DEL TEATRO PORQUE TIENE GRANDES POSIBILIDADES. SIEMPRE AGRADECIDO. TENNESSEE WILLIAMS."

UN GRAN ACTOR

Brando nunca interpretó Hamlet y parece inverosímil para un actor como él. A pesar de su éxito y su fama, y su amplio reconocimiento como un gran actor, Brando ha mostrado poca satisfacción en su capacidad para actuar. Con más frecuencia le hemos oído decir frases despectivas sobre el trabajo de actor, sosteniendo que es un talento que forma parte de casi todos los seres humanos de una forma natural y minimiza sus propios logros sobre la escena y la pantalla:

"Esto de ser un actor de éxito es solamente un negocio. Si uno tiene éxito tiene todo el derecho del mundo a protestar y ser escuchado. El actor popular es aceptado en cualquier sitio, pero esto es todo lo que puede aportar a la sociedad."

Las opiniones de Marlon Brando suelen ir unidas al mismo sentir de sus admiradores. Él ha conseguido ganar fama interpretando obras de Shakespeare y, diferente a casi todos los demás actores, ha regalo a los aficionados una confortable interpretación mucho más interesante que con cualquier otro actor.

Durante la mayor parte de su vida, Brando aparece como una persona extraña para los demás y quizá consigo mismo. Anteriormente era un muchacho solitario que creció como un hombre solitario, reprimido y estudiando, aparentemente hostil hacia la sociedad. El director Elia Kazan, sin embargo, dijo:

"Brando es una de las personas más corteses que yo he conocido. Posiblemente el más cortés."

Brando ha rehusado actuar en el papel de superestrella, aunque él sea precisamente eso que tanto odia. Detesta la publicidad y generalmente evita las entrevistas con la prensa, y en esas pocas ocasiones en las cuales ha sido necesario que hable con los periodistas, ha rehusado completamente discutir cualquier área de su vida privada. Él es, sin embargo, locuaz sobre asuntos que para él tienen gran interés, como los movimientos de los derechos civiles, particularmente estadounidenses, y los entrevistadores lo han encontrado habitualmente bien informado sobre la política, psiquiatría y la filosofía oriental.

Marlon Brando es una paradoja, una extraña combinación de personalidades en un hombre cuyo comportamiento ha sido contradictorio, empleando desde la descortesía y la arrogancia a una gran bondad y consideración. Pocas personas pueden afirmar esto con certeza, pero sus amigos hablan de él como hombre que oculta su sensibilidad detrás una máscara de mal humor. Ellos mantienen que es un hombre divertido con un agudo ingenio, altamente intuitivo y hondamente desconcertante hablando, porque tiene un sexto sentido para exponer las razones sobre las cuales está hablando. Brando es también un payaso de gran talento que puede física y vocalmente imitar a la mayoría de la gente que se mueve a su alrededor. Y para un hombre que mantiene un gran amor en su interior, podríamos afirmar que con frecuencia la vida de Brando es una actuación, que él no para nunca de actuar.

LOS BUENOS ACTORES NUNCA MUEREN

La parte de la paradoja de Marlon Brando es que su gran fama está conseguida sobre muy pocos éxitos. De hecho, ha conseguido muchos menos éxitos que la mayoría de los actores de su calibre y ha sobrevivido a un inusual número de fracasos de taquilla. Su estima como gran actor está basada simplemente en el personaje de Stanley Kowalski en "Un tranvía llamado Deseo", e inmediatamente después de hacerla él desertó de Broadway para irse a Hollywood y nunca más volvió. Desde su llegada a Hollywood en 1949 (tenía entonces veinte años), Brando solamente ha vuelto a aparecer en el teatro en una sola ocasión, en el Rhode Island, en Matunuck, por unas semanas durante el verano de 1953, actuando en el importante papel de Sergius Saranoff basado en una novela de Shaw. La obra, "Arms and the Man", no posee ningún mérito especial y por ello no siente la necesidad de volver de nuevo al teatro.

Como películas importantes que contribuyeron a la fama de Brando tenemos las seis primeras intervenciones: "Hombres", "Un tranvía llamado Deseo", "¡Viva Zapata!", "Julio César", "Salvaje" y "La Ley del Silencio". Después de ganar un Oscar por interpretar a un trabajador del muelle en "La Ley del Silencio", Brando fue aclamado por todos los críticos de Hollywood como una gran estrella, y consiguió grandes éxitos comerciales con sus posteriores películas, como "Desirée", "Ellos y Ellas" , "La Casa de Té de la Luna de Agosto", "Sayonara" y "El Baile de los Malditos". Todas ellas fueron éxitos modestos para los críticos, pero muy bien aceptadas por el público, aunque nadie puso en duda nunca la calidad de gran estrella que tenía Marlon Brando.

En 1958 Brando asumió la dirección de "El Rostro Impenetrable", después que Stanley Kubrick se retirase bruscamente del proyecto, y él horrorizó a la Paramount cuando dedicó más de un año para hacer la película, triplicando el presupuesto. Después comienza una etapa de desorientación con películas bastante banales y de menor importancia artística, como es el caso de su actuación en la producción de la MGM titulada "Rebelión a bordo", remake de un anterior éxito. Este proyecto tuvo una desastrosa planificación que ocasionó unos costes de diez millones adicionales en el presupuesto y los ejecutivos del estudio encontraron en Brando el chivo expiatorio conveniente.

Ninguna de las películas que Marlon Brando hizo en los 60 fueron éxitos económicos, y varias de ellas han sido conjuntamente fracasos comerciales y artísticos. Algunas, como "La Condesa de Hong-Kong" y "Candy", fueron desconcertantemente malas.

Es difícil pensar en otra estrella que haya experimentado una ristra de fracasos tan uniformes como le ha ocurrido a Brando en esa década de los 60. Los críticos en este período constantemente escribían muy mal sobre Brando, y muchos admiradores se lamentaron viendo cómo su ídolo más apreciado declinaba lentamente en su popularidad, aunque irónicamente todavía seguía siendo considerado uno de los mejores actores de todos los tiempos. Parecía que había sido convertido en una pieza de museo cuando aún no se había apartado del mundo del cine.

Brando, de una manera personal, contribuyó a este declinar por su falta de tacto a la hora de escoger sus siguientes materiales cinematográficos, la mayoría de un prestigio dudoso en origen, aunque hay que reconocerle cierto interés en ser dirigido por los mejores, como es el caso de Charles Chaplin y John Huston. Por otra parte, su comportamiento no era el de una estrella ambiciosa que tratase de mantener su prestigio y su carisma de antaño. En 1971, en Hollywood los productores e inversionistas se referían a Brando como una oficina envenenada y afirmaban que era imposible conseguir más dinero empleando su nombre; incluso había quien aseguraba que utilizando su nombre se perdería dinero. Seguramente eran sus enemigos.

Cuando el productor Al Ruddy y el director Francis Ford Coppola sugirieron a la Paramount que actuase Brando en el papel protagonista de "El Padrino", ellos recibieron como respuesta que olvidasen esa descabellada idea y que buscasen otro actor. Pero Ruddy y Coppola tenían solamente dos actores en la mente, Brando y Sir Laurence Olivier, y cuando Olivier declinó intervenir por razones de salud, el productor y el director encontraron la excusa para presionar para que admitieran a Brando. Ellos grabaron un vídeo como prueba con el actor en su hogar de Mulholland Drive en Beverly Hills, mostrando unas escenas de él haciendo de Don Vito Corleone. Los ejecutivos de la Paramount quedaron muy impresionados con la prueba, aunque ellos no reconocieron en ese momento al actor que había efectuado el casting. Cuando le dijeron quién era, aceptaron inmediatamente su contratación. Pero, como siempre, el estudio no estaba dispuesto a pagar a Brando una suma muy grande y acordaron solamente cien mil dólares, mucho menos de lo que él había recibido por la mayoría de sus películas anteriores, aunque en compensación exigió y recibió un porcentaje de los ingresos brutos. Ese nuevo pacto le supuso unos beneficios adicionales de millones de dólares.

La interpretación de Marlon Brando como el cacique mafioso en la historia épica de Mario Puzo sobre el crimen organizado en el área de la ciudad de Nueva York, lo devolvió inmediatamente al mundo de las estrellas más aclamadas, a unos niveles similares a sus mejores momentos. Él había perdido importancia en el mundo del cine, y no quería volver interpretando un papel sencillo y poco trascendental (su película anterior, "Los últimos juegos prohibidos", permanece casi olvidada) y quería volver a recuperar su imagen del actor más popular y respetado, dando a entender que los años anteriores solamente habían sido de meditación. Brando volvió a encontrar la aprobación del público y los críticos, y entró de nuevo en el engranaje comercial del mundo del cine.

Había sido una victoria en todos los frentes. Su Don Corleone es un personaje de suma quietud, ayudado por una aureola de hombre misterioso con un código estricto de conducta y un rígido esquema de principios morales. Es una sutil actuación llena de matices y de gestos pequeños, y para saber por qué Brando fue capaz de tal caracterización requiere que tengamos mucha comprensión hacia el actor y sus circunstancias. Brando es similar a la compasión que podemos sentir por Corleone, con su tristeza, la suspicacia, la vulnerabilidad y la dulzura que se consigue en la vejez. El hecho de que ese Corleone sea un criminal está producido por la gran devoción que siente hacia su familia y sus amigos, y su adherencia firme a su conjunto propio de valores.

No es simplemente su habilidad lo que permite a Brando hacer el papel de un viejo inteligente y su apariencia física comprensible, es el propio sentimiento del actor sobre la comedia humana, del mismo modo que sobre la tragedia, y su propia trayectoria personal, más bien tortuosa, es lo que le permite darse a conocer en el alma de Don Corleone.

Su carácter interno requiere que tenga un conocimiento amplio de la vida, con una gran capacidad para sufrir y gozar, además de una intensa profundidad en sus sentimientos. La escuela rusa de actores, dirigida por Stanislavsky, de la cual el método estadounidense se deriva en su mayor parte, afirma en sus postulados que el éxito de un actor depende de su calidad propia como un ser humano. Esto aparece para dar una explicación razonable sobre Marlon Brando, un hombre extraordinariamente sensible y observador con mucho desacato para las iniquidades de la vida.

ORGULLOSO, SENSIBLE, TRABAJADOR E INTRANSIGENTE

Brando ha sido descrito en una gran variedad de maneras por la gente que ha trabajado con él. Hay a quienes les desagrada y prefieren no trabajar con él nuevamente, sosteniendo que es muy desorganizado, indisciplinado y despectivo. Otros afirman que hay alguna verdad en estas acusaciones, pero que la honestidad de Brando y su inteligencia las contrarrestan. Varios que también le han conocido a través de los años han dicho que él es un hombre perturbado e inquieto, pero la conclusión general de todos los que han trabajado con él, amigos o detractores, es que es un actor único en la historia y que cuando trabaja dedica alma y cuerpo a su trabajo, procurando encontrar la perfección.

Algunas personas sienten que esa dedicación a su trabajo y el mal carácter que ha empleado en ocasiones son la causa de la inquietud de Brando. Pudiera ser que tenga sentido de culpabilidad al ser consciente de la facilidad con que él ha ganado fama y sueldos enormes en los negocios, especialmente en algunos para los que no ha sentido ningún respeto.

Brando es seguramente un hombre único, y una de las extrañas peculiaridades de su vida en el cine es su aparente desidia para hacer interpretaciones como persona extremadamente violenta, teniendo en cuenta que en su vida privada es un hombre no violento y sus amigos dudan que él haya matado o dañado a nadie en toda su vida. Además, incluso en el cine nunca ha interpretado a ningún personaje que disfrute con la violencia y ni siquiera que la promocione.

Al principio de la producción en "Sayonara" él contó al director Joshua Logan:

"Parece ser que yo he de tener una escena brutal en cada película."

Brando era golpeado en la calle por una pandilla en "Sayonara" y él mantuvo esa violencia en "Salvaje", "La Ley del Silencio", "El Rostro Impenetrable", "La Jauría Humana" y "Sierra Prohibida". Varias de sus otras películas han contenido momentos de gran sufrimiento físico y los psiquiatras han considerado esto como una evidencia de su confusión interna o de su deseo de reparar su sentido de culpabilidad.

BIOGRAFÍA

Marlon Brando nació el 3 de abril de 1924 en Omaha, Nebraska, y era el tercer hijo de los señores Marlon Brandeau y Dorothy Pennebaker. Del padre dicen que era duro de carácter, muy trabajador y con sólidas convicciones morales, aunque nadie pueda involucrarle en ninguna religión concreta. Hábil para los negocios, consiguió una posición sólida para su familia gracias a su trabajo como fabricante de productos químicos para la industria agraria, especialmente insecticidas y alimentos químicos.

Brando era el único hijo varón, y él tuvo dos hermanas mayores, Frances y Jocelyn. Su madre, Dorothy Pennebaker (Myers), era una atractiva mujer muy vivaz, quien en alguna ocasión trabajó como actriz dramática en obras como aficionada y podría, bajo otras circunstancias, haber llegado a ser una actriz profesional. Llegó a trabajar en un grupo de teatro denominado "La farándula de la comunidad de Omaha", en el cual se forjaron algunos importantes actores como Henry Fonda y Dorothy McGuire.

El señor Brando fue capaz de mantener a su familia en un nivel económico muy desahogado y bastante cómodo, aunque su trabajo requirió varios cambios de residencia. Cuando el joven Brando (Bud) tenía seis años la familia se mudó de

Nebraska a Evanston, Illinois, y luego a Libertyville, California, Minnesota y de nuevo a Illinois.

El nombre Brando se deriva de sus antepasados franceses (Brandeau), pero ambos lados de su familia son ya estadounidenses desde varias generaciones atrás. El medio en que Brando creció ha sido descrito como acomodado y bohemio, aunque con un sistema disciplinario que oscilaba entre los dos extremos, sin encontrar nunca el punto medio adecuado a su carácter. Un amigo de entonces lo describe como el tipo de familia media, tradicional, con una madre soñadora y dada a la bebida, y un padre trabajador y bastante hosco con el paso de los años. El joven Brando, llamado Bud por su familia para no confundirle con su padre, es descrito por su hermana Jocelyn como un chico serio y precozmente adulto.

Cuando era niño Marlon Brando lógicamente hacía travesuras, y le gustaba traer al hogar todo tipo de objetos que él reunía buscando y revolviendo en los cubos de la basura. Su ternura con los desvalidos era ya evidente a esta edad y en varias ocasiones trajo a su casa personas que dormían en la calle para darlas de comer, y en una ocasión trató de que dieran una cama para dormir a una mujer borracha.

También sentía un gran cariño por los animales. Su padre había rodeado su nuevo hogar con muchos animales domésticos, especialmente gallinas, patos, conejos, algún caballo y quizá un par de vacas. El chico, por su parte, traía a casa toda clase de animales descarriados, entre ellos un gran perro danés y veintiocho gatos, además de varios pájaros.

Brando era tan amante de los animales que cuando uno de ellos se moría, incluso si lo encontraba en la calle, lo enterraba. Un pollo en particular, al que él estuvo cuidando con cariño, lo desenterró varias veces ante el estupor de su madre.

Las habilidades de Brando como estudiante eran notablemente pobres. El director de la Escuela Superior de Liberty-ville, el señor H. E. Underbrink, manifestó a los periodistas que se acercaron a su escuela para entrevistarle, cuando Brando ya era un actor famoso, que nunca fue un buen alumno aplicado y que con el paso de los años se convirtió en un alumno problemático. El señor Underbrink llegó a manifestar sin ninguna duda que Brando "era más bien irresponsable y no mostraba interés especial por nada". Rara vez tomó parte en alguna actividad extraescolar, porque prácticamente cada tarde él estaba dentro de un grupo de disciplina que empezaba su castigo a partir de las 3:15 p.m., justo la hora de salida.

El padre de Brando decidió que debía adoptar una postura más firme con su rebelde hijo y lo matriculó en la Academia Militar Shattuck, en Faribault, Minnesota, a la que él mismo había asistido. Estos hechos ocurrieron en enero de 1942.

Pero Marlon Brando también fue un fracaso como cadete militar, en su mayor parte porque él no tenía ninguna aptitud para el régimen o protocolo. Según su propia opinión, era bastante apto para todo lo que le gustaba, como hacer pesas, pero odiaba la disciplina militar, las comidas del rancho y, sobre todo, los toques de corneta cada quince minutos, fuera de día o de noche.

Tenía dieciséis años cuando estaba en la academia militar de Shattuck y por entonces él ya había asistido a un número alto de escuelas y había sido expulsado de varias. Posteriormente, cuando repasaba su vida anterior en la academia militar, Brando dijo que la odiaba profundamente todos los días, especialmente por la estricta planificación de cada minuto de su tiempo que se veía obligado a realizar. En el cuartel no había opción a la improvisación o a la aventura espontánea.

"Yo amo el tipo de vida donde el tiempo no importa."

La campana de la academia tocaba cada cuarto de hora para recordar a los cadetes sus deberes y Brando una noche subió a la torre de la campana, quitó el badajo y lo enterró. Grave equivocación, ya que el director de la academia dictó una nueva orden en la cual los cuartos de hora serían ejecutados por cornetas, un ruido mucho peor que la campana y mucho más potente.

Brando, según escribió un periodista americano en el "The Saturday Evening Post", empleó mucho tiempo en conseguir ser admitido en la enfermería del cuartel, ya que al menos allí no existía disciplina y podía leer y hablar sin que nadie le castigara.

"Nosotros no teníamos que realizar ningún tipo de trabajo allí, por eso yo me fingía enfermo continuamente con males cada vez más complicados. Una vez que la enfermera jefe sospechó que les estaba engañando avisó al médico para que me diera el alta. Yo froté rápidamente el termómetro entre las sábanas hasta que alcanzó los 40 grados y esto lo hice durante dos días, aprovechando que la enfermera me daba la espalda."

Brando casi completó el curso militar en Shattuck, a pesar de su carencia de interés, pero él había ideado un método rápido para ser expulsado en 1943. Sus infracciones y faltas eran ya muchas, incluyendo la de vaciar vasijas desde las ventanas y sujetar con cable eléctrico el manillar de la puerta, pero la travesura que ocasionó su despedida consistió en una especie de bomba que había colocado al pie de la puerta de un tiránico instructor. La bomba la había fabricado él mismo utilizando azufre y carbón y para la mecha empleó un tónico capilar con base alcohólica. Brando había calculado todo, hasta permanecer en el anonimato cuando su pequeña bomba hiciera explosión. La mecha, al ser de alcohol, desaparecería como prueba al quemarse y nadie sabría quién había sido el causante de la broma. Pero no contó con el suelo del pasillo, el cual quedó fuerte y tenazmente chamuscado por el calor de la llama, dejando un rastro indeleble hasta su misma cama.

El señor Brando estuvo durante algún tiempo profundamente enfadado con su hijo y se quedó muy preocupado por el futuro profesional del muchacho. Para no tenerle inactivo le buscó un trabajo como obrero en una compañía de construcción, la constructora de azulejos para canales y desagües, que se dedicaba a drenar el agua estancada en las tierras de cultivo y colocar tejas en zanjas. Pero el joven Brando encuentra su nuevo trabajo aún peor que sus días de militar y abandona lo que él consideraba un trabajo sucio para torpes, después de seis semanas, y se marchó a Nueva York, donde vivían por entonces sus hermanas.

Allí permaneció con su hermana Frances, que estaba estudiando arte, y también buscó el consejo de Jocelyn, quien estudiaba en la Escuela de Arte Dramático. Lejos quedaba ya su pretensión de dedicarse a la teología y de triunfar con un grupo musical de jazz. A partir de ahora, se dedicaría al arte de la interpretación.

EL TEATRO

Brando había aparecido anteriormente en algunas actuaciones en la escuela, pero nunca había manifestado sus deseos de ser actor y hasta es posible que ni siquiera lo hubiera pensado. Su padre, llegado a este punto, se ofreció para financiar a Brando en cualquier profesión que él quisiera estudiar, y quizá porque nada le atraía en especial o porque verdaderamente quería ser actor, eligió el drama. Brando después afirmó que su elección fue una casualidad, que cualquier trabajo le era indiferente y que solamente quería tener a su padre tranquilo para que no le molestara más sobre su futuro profesional.

Ahora, con diecinueve años, Brando habría tenido que ir al servicio militar, si no hubiera sido porque tenía lesionada una rodilla por jugar al fútbol en Shattuck y había recibido una clasificación médica de 4F, el equivalente a excluido.

A finales de 1943 Brando entra en el Taller Dramático de la Nueva Escuela para la Investigación Social. Trabajó un año en esta escuela, siendo dirigido por Erwin Piscator, y estando bajo la supervisión de la profesora Stella Adler, hija de un actor teatral de gran prestigio en América. Después de encontrar a Brando y observarle mientras trabajaba, Stella Adler comentó a su esposo, el director Harold Clurman: "En un año este chico será el mejor actor joven en el teatro estadounidense."

Marlon Brando apareció por primera vez en la escena de Nueva York en abril de 1944, interpretando dos pequeñas secuencias en "Bobino", de Stanley Kauffmann, en el teatro Adelphia. Ésta era una presentación del Teatro Estadounidense para Gentes Jóvenes. Un mes después él trabajó en la producción "Hannele's Way to Heaven" (La ascensión de Hannele), de Gerhart Hauptmann, nuevamente interpretando dos de los papeles, el de un profesor de escuela y también el de un ángel en una secuencia de un sueño. También actuó en una versión resumida de la estremecedora "Twelfth Nigth" (Noche de reyes), de Shakespeare, y en dos adaptaciones de obras de Molière, entre ellas "El enfermo imaginario".

Todas las actuaciones estaban dirigidas por Erwin Piscator y los críticos del drama comenzaron a realizar comentarios sobre el trabajo de Brando, y después que dejó la escuela no le fue difícil conseguir un trabajo en Sayville, con el Teatro Estival de Nueva York. Interpretó entonces un número amplio de obras, además de efectuar diversas labores entre bastidores y de contribuir con cien dólares para cubrir los gastos iniciales de representación.

Pero esta vida en comuna no era de su agrado y al final de la temporada volvió a Nueva York en busca de trabajo en el teatro profesional. Mediante la influencia de Maynard Morris, un agente que había quedado impresionado por su trabajo de estudiante, le preparó una prueba con Rodgers y Hammerstein para la presentación de "I Remember Mama", una obra escrita por John Van Druten y en la cual también actuaría como director.

Pero Brando nunca había sido un buen lector de un guión (mucho menos con una obra tan aburrida) y apenas si lograba aprenderse de memoria dos párrafos, por lo que fracasó tratando de impresionar a Rodgers y Hammerstein. Solamente por la insistencia de Van Druten, alegando entusiasmado que era un gran actor que necesitaba solamente una nueva oportunidad, logró ser contratado. Van Druten logró el primer contrato para Brando, quien tendría que hacer el papel de Nels, un chico de quince años, hijo de unos inmigrantes suecos que viven en Nueva York; el papel de mamá lo interpretó Mady Christian.

La obra era mala y quizá la dirección, pero cuando se estrenó en el Music Box Theatre el 19 de octubre de 1944 consiguió un aceptable éxito de críticos y público. El problema era que el nombre de Brando no aparecía en los carteles y existía el peligro de que nadie le tuviera en cuenta. La fortuna quiso que un crítico reparara en ese joven que mascullaba palabras en lugar de recitarlas, y en su crítica habló de ese Marlon Brando que es capaz de actuar con tanta naturalidad que parece que improvisa.

"I Remember Mama" consiguió poco a poco una gran aceptación por parte del público y Brando tuvo su primer éxito. Su trabajo como Nels era cortés y ameno, y cualquier persona inteligente lo podía apreciar. Una de estas personas era el director Robert Lewis, quien recuerda aquellos días: "Cuando yo lo vi en 'I Remember Mama', él era tan real que yo pensé que no estaba actuando. Yo creía que él era un muchacho que la compañía había contratado para andar por el escenario haciendo su propio papel."

LOS PRIMEROS TRIUNFOS

Otra persona que quedó muy impresionada con Brando en ese momento fue Edith Van Cleve, una agente teatral de la Corporación de Música de América. Brando no mostró interés en su oferta para que le representara, pero después de varias semanas de conversaciones él cedió y firmó con la MCA. Contó entonces a Miss Van Cleve que había rechazado otras ofertas desde Hollywood y pidió que ella únicamente le protegiera de productores y otros agentes. Brando en este momento de su vida no era optimista sobre su futuro como actor y no mostraba confianza en sí mismo. De no ser por la tenacidad de Edith Van Cleve y el aliento de Stella Adler, él podría haber abandonado el teatro. Brando, de hecho, se alejó de él durante la mayoría de 1945, continuando estudiando y también haciendo trabajos diversos y en ocasiones viajando. No volvió a aparecer en Broadway nuevamente hasta el 27 de febrero de 1946, interpretando un papel principal en "Truckline Café", de Maxwell Anderson, producida por Elia Kazan y Harold Clurman.

"Truckline Café" era una obra que no tenía buena reputación entre los profesionales del teatro y existía cierta dificultad en encontrar un actor famoso que quisiera interpretarla. Los críticos de Nueva York ya estaban condicionados y después del estreno aprovecharon para cebarse en ella, incluyendo que era la peor obra de toda la historia del teatro, algo similar al trato que dieron al director de cine Ed Wood.

Sin embargo, trajo a Brando nuevamente a las páginas especializadas y algún crítico comentó favorablemente sobre su actuación como Sage McRae, un veterano de la guerra mundial que vuelve al hogar y se encuentra con la triste situación de una esposa joven infiel mientras él estaba en la guerra. Desesperado y dolorido, la mata y se entrega a la justicia.

La obra fue producida por Elia Kazan, quien estaba muy impresionado desde que le había realizado el casting a petición de Harold Clurman, ex esposo de Stella Adler, quien como ya sabemos era una gran admiradora de Brando. La objeción de Kazan estaba mayormente basada en la carencia de dicción de Brando y su manía de mascullar las palabras, que las hacía ininteligibles con frecuencia. Clurman decidió que la mejor manera de conseguir que se le entendiera era obligándole a chillar, tanto que pareciera que estaba loco. De esta manera, aprovechando un descanso en los ensayos, obligó a Brando a que recitara los diálogos desde distancias inverosímiles, tan lejanas al director que o gritaba o no sería oído. Hubo un momento en que gritaban ambos, director y actor, uno para ser escuchado y otro para forzarle a que aumentara aún más el volumen de su voz.

Todo este insólito modo de motivar a un actor dio su fruto y Brando consiguió hablar tan fuerte que hasta el último espectador lograría oírle. El hasta entonces tímido actor gradualmente se convirtió en alguien agresivo, en ocasiones violento, y que ya no estaba dispuesto a ser un mero comparsa en manos de los directivos. La experiencia de esos años curó la manía de Brando de balbucear las palabras y Kazan cambió su opinión cuando escuchó al joven actor interpretar ahora con perceptible audición. Era el comienzo de una gran asociación, y desde el momento en que Kazan puso todo su interés en él, la mayoría de los profesionales se interesaron igualmente en la futura carrera de Brando.

La obra de Anderson, montada en el teatro Belasco, también generó una gran amistad entre Brando y el actor Karl Malden. En "Truckline Café", Malden interpretaba a un marinero borracho, que, al igual que el resto de los treinta personajes, trataba de ajustar su vida después de intervenir en la guerra. El papel de Malden logró también buenas críticas y supuso un espaldarazo más para que los productores se fijaran cada vez más en la nueva generación de actores que estaba naciendo.

La interpretación de Brando como un joven patético que no comprende la infidelidad de su mujer cuando él estaba jugándose la vida en la guerra, llamó la atención del productor Guthrie McClintic, quien ofreció a Brando el papel de Eugene Marchbanks en su producción "Cándida", de Shaw, con Katharine Cornell en el papel principal.

La obra de Shaw se había representado numerosas veces desde que apareció por primera vez en Nueva York en 1903 y Cornell la interpretó desde 1924 teniendo entonces como compañero de reparto a Orson Welles y Burgess Meredith. La obra se reestrenó el 4 de abril de 1946, y nuevamente fue bien recibida por los críticos. El papel de Marchbanks, un poeta joven basado ligeramente en el propio carácter del autor, supuso un fuerte cambio para Brando, quien con solamente tres semanas de ensayos fue incapaz de recordar correctamente todos sus diálogos. Varios críticos pensaron que ese actor no era adecuado para un trabajo de tanta importancia, especialmente en la dicción, mientras que otros críticos comentaron que aportaba una interpretación fresca y que eso suponía una mejora.

De cualquier manera, era un paso importante para Brando y su agente no desaprovechaba ninguna ocasión para que los productores fueran a ver a su pupilo, aunque ella todavía tuviera que pelear con su carácter tímido y su cada vez más frecuente lúgubre comportamiento en cualquier sitio que no conociera de antemano.

El próximo trabajo de Brando fue "A Flag is Born", que se estrenó en el Teatro Alvin el 5 de septiembre de 1946. La obra de Ben Hecht era un alegato descarado para ayudar a la Liga Estadounidense para una Palestina Libre y no tuvo ningún reparo en realizar alegatos críticos contra la intromisión de Gran Bretaña en Tierra Santa, y la indiferencia general del mundo a la promesa incumplida de los judíos.

La mayoría de la acción se realizaba en un cementerio que está anclado en un camino que conduce a Palestina, recorrido por dos refugiados viejos (Paul Muni y Celia Adler) que hablan y hablan. Ellos paran en el cementerio para descansar y rezar, y allí se encuentran con un amargado judío, joven y cínico (Brando), llamado David, mediante cuya boca Hecht expresó su interés para su raza y su desacato para el resto de la humanidad. Al final de la obra, la pareja vieja había persuadido a David para que se uniese en su caminar y llegara a ser un combatiente por la libertad del pueblo judío y su derecho a tener una tierra propia.

"A Flag is Born" fue considerada como demasiado propagandística para ser juzgada con imparcialidad, aunque la interpretación de Brando como la alegoría bíblica de David, fue acogida con bastante benevolencia por los críticos, augurándole futuros éxitos en el teatro.

En el año 1946 Brando tenía solamente veintidós y muy poca experiencia como actor, y tendría que pasar otro año más antes de que pudiese volver a actuar en un teatro de Broadway. Lo cierto es que abandonó la obra sobre la reivindicación judía antes de que finalizasen todas las representaciones, un poco porque estaba cansado que le relacionasen con la causa judía y otro poco porque había recibido, en la Navidad de ese mismo año, una oferta para interpretar una obra de Jean Cocteau.

Pero el trabajo se demoró y durante los primeros meses de 1947 no consiguió actuar en ningún sitio, lo cual le produjo un cambio agresivo y hostil en su carácter. Poco amigo de acudir a fiestas y actos sociales, en los cuales podría conseguir nuevos contactos con profesionales, Brando solamente aceptaba las audiciones y entrevistas que le arreglaba su agente para él, aunque fracasó en su intento de impresionar a los posibles empresarios, deseosos de encontrar alguien que se plegara a sus requerimientos.

NUEVAS OPORTUNIDADES

Mantuvo conversaciones y realizó algunas pruebas para Lunt y Fontanne en relación con su producción de "Oh Mistress Mine" y cuando todo estaba arreglado para una audición le pidieron que efectuara una lectura del texto, algo que odiaba y que además se le daba fatal; sus problemas de dicción continuaban presentes. Nunca había sido capaz de leer un manuscrito correctamente, y era consciente de que solamente podía realizar ese papel mediante una interpretación bastante personalizada.

Aquel día se presentó puntualmente en el lugar del casting y, con el manuscrito en la mano y los productores en silencio, Brando se quedó mudo. Lunt le preguntó si él prefería recitar otro material que eligiera personalmente, pero por toda respuesta Brando masculló: "Hickory, dickory, dock", y caminado fuera de la escena, se marchó dándoles la espalda a Lunt y Fontanne.

Posteriormente realizó una prueba con Noel Coward para su poco seria comedia "Present Laughter". En ella Brando comienza leyendo unas pocas líneas del argumento y a los pocos minutos tiró los papeles al suelo con rabia y le dijo a Coward: *"¿No sabe usted que hay gente en el mundo hambrienta?"*

Otra prueba increíble la realizó cuando un actor amigo suyo le preparó una prueba para el cine sin avisarle. Brando guardó la cita, acudió el día y la hora señalada, pero llegó con un yoyó en su mano, que él rehusó esconder o dejar aparte, y la prueba se filmó jugando con el yoyó.

La agente de Brando parece ser que nunca se desanimó y le consiguió otra nueva prueba en el año 1947. Esta vez se trataba de un papel totalmente opuesto y en principio muy pretencioso. Debía ser el oponente de la actriz Tallulah Bankhead en la obra de Jean Cocteau "The Eagle Has Two Heads" (El águila de dos cabezas), en la cual haría el papel de Stanislaus, un joven poeta campesino que llega para asesinar a una reina austríaca, pero en vez de eso se enamora de ella y se acuestan juntos.

La tempestuosa Bankhead vivió momentos ciertamente desagradables con su compañero de reparto, un hombre poco convencional que alteraba a voluntad todos sus diálogos, dejándola en muchas ocasiones desconcertada en plena actuación. La hostilidad entre ambos era tan abismal como su edad, Brando veinticuatro años y ella cuarenta y tres, por lo que su papel de amantes apasionados parecía un poco ridículo. El día del estreno todo fue catastrófico y Brando renunció al día siguiente y fue sustituido por otro joven actor de veintiocho años. Cuando la obra fue estrenada en un teatro de Broadway, Brando estuvo en la primera fila observándola y se marchó sonriendo al final del primer acto.

Pero este comportamiento no fue del agrado de los críticos y mucho menos de los productores teatrales, quienes tenían miedo de incorporar a un actor tan polémico e imprevisible entre sus proyectos. Por eso, durante el tiempo que permaneció vacante, Brando se dedicó a estudiar yoga, disciplina en la cual llegó a ser tan experto que podía rotar realmente sus músculos abdominales, y se dedicó también a aprender técnicas de danza con Katherine Dunham, compareciendo en algunas demostraciones que la escuela efectuaba de forma experimental.

También perfeccionó su interés por tocar los tambores "bongóes", llegando a ser un instrumentista bastante bueno como para sentarse con músicos profesionales en cabarets pequeños.

En el verano de 1947 su arriesgada agente le hizo leer un manuscrito de una nueva obra de Tennessee Williams titulada "Un tranvía llamado Deseo". Ella pensaba que Brando estaría perfecto en el papel del varón principal y lo hablaría con Elia Kazan, quien se había ofrecido para dirigir la obra. Kazan recordó que el papel requería una persona fuerte, tosca, extravertido, que pudiera dar vida al mecánico de nombre Stanley Kowalski.

Brando esta vez sintió que era su verdadera oportunidad y por primera vez estaba dispuesto a todo para conseguir interpretar la obra teatral. Irónicamente, Stanley era un personaje casi idéntico al del propio Brando y por eso consideraba que podía identificarse sin ningún problema con el personaje inventado por Williams. La propia forma de vestir de Brando en esos años de su juventud, desenfadada y desordenada, como si fuera un *hippi* prematuro, encajaba perfectamente en la personalidad del joven y agresivo Kowalski, aunque la personalidad propia de Brando llegara a ser incluso más poderosa.

Elia Kazan había pensado en principio en un actor llamado John Garfield, amigo suyo además, pero el largo contrato que le exigieron no pudo ser aceptado por el actor a causa de sus otros compromisos y al final decidieron que Brando podía hacer correctamente el papel. Alguien sugirió que antes de firmar con él debería hacer una prueba, una lectura, a lo que se negó rotundamente su agente artístico. Consciente de lo mal que se le daban las lecturas a su protegido, disuadió a Kazan para que le aceptase sin reservas, ya que, a fin de cuentas, ya le conocía por su trabajo en "Truckline Café".

TENNESSEE WILLIAMS

Cuando le convenció para que contratase a Brando en el papel principal, aunque la protagonista femenina debería en principio destacar más, telefoneó a Tennessee Williams a su cabaña de la playa en Provincetown, Massachusetts, y le preguntó si podía enviarle al joven actor para que le conociera.

Williams estuvo de acuerdo, pero pidió a Brando que viniera solo. Lo cierto es que en esa época las finanzas del actor estaban a cero y se vio en la necesidad de viajar en autostop desde Nueva York a Cape Cod, por no tener dinero suficiente para un billete de autobús. Cuando llegó a la cabaña de Williams era aún de madrugada y se sentó fuera en el porche hasta que oyó al dramaturgo pedir su desayuno unas horas después. Una vez dentro de la casa, Brando encontró a Williams desconsolado porque la luz estaba estropeada y las cañerías del cuarto de baño no funcionaban adecuadamente. Brando arregló la luz y las cañerías, y dedicó el resto del día a hablar con Williams.

Sintiendo el escritor que Brando podría estar tenso y nervioso, le permitió descansar y relajarse durante unas horas antes de pedirle que leyera en voz alta algunos pasajes de su obra. Williams se dio cuenta en seguida, con apenas unos minutos de lectura, que Brando era el actor más adecuado para interpretar a Kowalski. Llamó a Kazan para contárselo y cuando terminaron prestó a Brando veinte dólares para regresar a Nueva York.

Brando empezó los ensayos en octubre de 1947 y una de las personas que estaban allí era Truman Capote. Su forma de darse a conocer es algo que nunca pudo olvidar, ya que cuando Capote llegó al teatro, hacia la una de la tarde, se acercó a Brando, que estaba durmiendo sobre una mesa que había en el escenario y tenía un libro de Sigmund Freud, titulado "Escrituras Básicas", apoyado sobre su pecho. La cara de Brando durmiendo, tan relajado, cortés y refinada, le hizo creer a Capote que se trataba de otro hombre, sin ningún parecido a ese otro malhumorado actor llamado Brando del que tanto había oído hablar.

"Nunca pude imaginar —diría Capote— que detrás de ese rostro pudiera encontrarse un poético Kowalski. Era por tanto más bien una experiencia para observar, ya que posteriormente, por la tarde, cuando el camaleón Brando se enfundó en su personaje de colores fieros y llamativo carácter, como una salamandra engañosa, su propia persona desapareció de la escena."

"Un tranvía llamado Deseo" fue un éxito inmediato, trajo la ovación del público a Marlon Brando y sus coestrellas Jessica Landy, Kim Hunter y Karl Malden. El público quedó pasmado con Brando "Kowalski", un brutal, insensible y enfermo patán, quien despiadadamente expone su neurosis a su fantástica cuñada, y la fuerza a la locura. Mirando atrás, Brando dice que él era ese mismo tipo de hombre:

"Tan musculoso y comprometido que apenas podía hablar. Stanley nunca pudo transmitir sus pensamientos y no tenía conciencia de sí mismo delante de los demás. Era una persona sacada de la vida misma y aparece como una víctima de la era industrial, un áspero hombre que hacía trabajos muy rudos y sencillos, y que sobrevive con sus puños y su espalda."

Un director de cine dijo a propósito de la actuación de Brando en "Un tranvía llamado Deseo": *"Era pavoroso y sublime. Único, solamente una vez en una generación se ve tal cosa en el teatro."*

A Stella Adler frecuentemente le han pedido explicaciones sobre el talento de su estudiante más brillante, pero ella ha rehusado ser demasiado explícita:

"Marlon nunca tuvo realmente que aprender cómo era cada acto. Él era intuitivo. Desde sus comienzos en el teatro me di cuenta que era un actor universal. Nada humano le era extraño y tenía la suficiente capacidad para realizar cualquier papel. Es increíble cuán grande es su escala para transmitir emociones a sus personajes; casi puedo asegurar que no tiene límites. Posee unas buenas cualidades externas, físicas, y su mirada, su voz y el poder de su presencia, todo va con él. Yo no le enseñé nada. Yo solamente le he abierto las posibilidades del pensamiento, sintiendo, experimentando, y cuando yo abrí esas puertas, él caminó derecho y perfectamente mediante ellas."

Cuando le pedimos explicaciones sobre Brando a un nivel más personal, Stella Adler ha dicho:

"Él vive la vida de un actor veinticuatro horas al día. Si él habla con usted, le absorberá todo con su sonrisa, la manera en que muestra sus dientes. Su estilo es el enlace perfecto entre la intuición y la inteligencia."

EL LARGO ÉXITO DE
"UN TRANVIA LLAMADO DESEO"

"Un tranvía llamado Deseo" se exhibió durante 1948 y la primera mitad de 1949, concretamente hasta el mes de junio. Brando dio unas trescientas representaciones durante el primer año y comenzó a mostrar señales de estar aburrido y sofocado por la repetición de la obra. Su actitud general, cuando no estaba actuando, era como una persona malhumorada e impredecible, y con frecuencia escandalizaba a la gente con su brusquedad, especialmente cuando en medio de una actuación caminó entre las candilejas y dijo a una espectadora que estaba hablando que se callara o se fuera a la calle.

Durante los primeros meses de este compromiso teatral Brando vivió en un desordenado apartamento de dos habitaciones en un edificio viejo de Nueva York, en el distrito Hill Murray, y pagó veintitrés dólares por cada mes de alquiler. Pero no estaba molesto en ese momento por tener que vivir en habitaciones sucias y quienes le conocieron en entonces dicen que era sumamente desaliñado.

Brando posteriormente compartió con Wally Cox, un cómico de un centro nocturno, un apartamento de sesenta y cinco dólares al mes, hasta que Cox se marchó después de ser mordido repetidamente por un perro que había traído Brando.

Después vivió en un número indeterminado de domicilios baratos durante sus años en Nueva York y cualquier vecino suyo se encontró con problemas a causa suya, de sus amigos o de sus amantes. Uno de ellos resolvió el problema colgando un aviso sobre la puerta que decía: *"MARLON NO VIVE AQUÍ. NO LO DIGO MÁS."*

Al tiempo de vivir en Nueva York durante su trabajo en "Tranvía", Brando ganaba un sueldo de quinientos cincuenta dólares a la semana. De esta cantidad él guardaba ciento cincuenta dólares y enviaba el resto a su padre para que lo invirtiera. El señor Brando constituyó una compañía con el título de propiedad de "Marsdo", llegando a convertirse posteriormente en "Pasta de Marlon", y puso el dinero en una factoría agropecuaria en Nebraska, Penny Poke, y en tierras de olivos en Indiana.

Brando, hijo, por el contrario, necesitó siempre un adecuado consejo financiero porque sus hábitos con el dinero eran francamente desastrosos y negligentes. Con su apartamento de baja calidad y su estilo de vida barato, cuando ganaba un gran sueldo lo guardaba para él mismo. El problema era que Brando se quedaba en seguida sin dinero porque no sabía administrarlo y lo mismo vivía míseramente que gastaba todo los primeros días de cobrar.

Nunca fue una persona tacaña y sus numerosos amigos han dado siempre testimonio de su generosidad. Sus obras de caridad han sido muy reconocidas y era frecuente, mientras caminaba por las calles durante los meses de invierno, que diera una gran suma a cualquier indigente, siendo especialmente espléndido con los actores que llevaban mucho tiempo en el paro. En más de una ocasión fue visto quitándose su buen abrigo para dárselo a una persona mayor que pasaba frío.

Otra vez, cuando él estuvo en Hollywood, Brando fue informado de que una persona conocida se encontraba muy mal porque sangraba a través de sus llagas y no podía pagarse un hospital. Brando inmediatamente voló a Nueva York y asumió la dirección de la situación.

DESPUÉS DEL PRIMER ÉXITO

Después de "Tranvía", Elia Kazan, conjuntamente con Cheryl Crawford y Robert Lewis, fundaron el Actor's Studio, una escuela de arte dramático que fue el origen del estilo llamado el "Método" del actor. Brando se unió a la escuela y llegó a ser su graduado más famoso. Entre otras cosas él interpretó el papel del príncipe Hapsburg en "Reunión en Viena".

El Actor's Studio era un experimento para impartir cursos a los profesionales del cine y tuvo un gran impacto sobre los estadounidenses que actuaban en los años de la posguerra. Muchas personalidades famosas del cine asistieron a las clases y recibieron una guía a cargo de directores y profesores como Stella Adler y Lee Strasberg.

La dos personas que tuvieron la más grande influencia sobre Brando fueron indudablemente Stella Adler y Elia Kazan. Brando abiertamente reconoció esto pero, por razones que él no puede aclarar, su cercanía con Kazan derivó en una gran afinidad entre ambos. Es por ello que Kazan no ha alterado nunca su buena opinión de Brando.

Algunos actores son todo instinto y emoción y ningún intelecto, pero Marlon tiene cerebro y puede usarlo. Tiene una muy buena comprensión analítica de cualquier problema dramático. Cuando alguien sugiere a Kazan que el carácter de Brando es insoportable él contesta: "Brando no es así en su interior." Cuando los entrevistadores Stuart Byron y Martin L. Rubin discutieron sobre Brando en el estreno de la película "Un tranvía llamado Deseo" en una publicación británica, Kazan les contó que su intensidad emocional propia era igual que cuando interpretaba, y que tanto él como Brando eran hombres que retenían su amor y su enfado, sus sentimientos y emociones:

"Yo tengo mis gustos personales y también sé los que tiene Brando, qué es lo que le gusta, y por eso le entiendo y me llevo bien con él. Es como si estuviera lleno de profundas hostilidades, de anhelos y sentimientos de desconfianza, pero su comportamiento exterior es cortés y amable. Así es él. Brando es, en mi opinión, el único genio que yo he encontrado en el campo de los actores. Me sugería constantemente ideas que eran mejores que las que yo tenía. Todo lo que él ha realizado en su vida de actor es muy bueno. Yo le contaba lo que necesitaba y entonces él salía a escena y lo hacía mucho mejor de lo que esperaba."

EL TEMPRANO TRIUNFO

En su veinticuatro cumpleaños, en 1948, Marlon Brando había cruzado la línea desde la oscuridad a la fama. En las mentes de los críticos y los otros actores profesionales él era un éxito, no solamente como un actor de capacidad notable, sino por ser una persona con un inusual carisma. Brando había recibido ofertas de diversos productores de cine antes que apareciera en "Un tranvía llamado Deseo", pero con su electrificada forma de actuar como Stanley Kowalski las ofertas llegaron desde todos los estudios.

Él instruyó a su agente para que rechazara todas esas ofertas y no las tuviera en cuenta hasta después que hubiera terminado con la interpretación en "Tranvía". Desde ese momento empezó a considerar la posibilidad de ser actor de cine, bastante más descansado que actuar todos los días en el teatro.

Brando estaba de vacaciones en París en el verano de 1949 cuando un representante de Stanley Kramer le entregó un resumen de una película sobre los problemas que la posguerra generaron en un parapléjico militar. Brando consideró este argumento como algo digno de interpretar y firmó un contrato con Kramer para interpretar el principal papel de "Hombres" por cuarenta mil dólares.

La película alcanzó solamente un éxito moderado de taquilla, pero probó que la extraña magia de Brando como un actor de teatro también funcionaba a través de la pantalla. La comunidad teatral de Nueva York asumió que él volvería a los escenarios, pero estaban equivocados. Brando, hasta esta fecha, no ha actuado en un teatro de Broadway desde su actuación final en "Un tranvía llamado Deseo". Esto le ha supuesto muchas reprimendas y críticas por parte de sus compañeros de profesión, quienes piensan que todo actor debe reciclarse periódicamente en el teatro si quiere ser un gran intérprete.

Esta opinión nunca ha hecho mucha mella en Brando, quien dijo frecuentemente que él nunca tuvo ningún deseo de llegar a ser un actor clásico y que actuar le ha traído pocas satisfacciones. Él ha dicho, y es quizá más bien triste oírle tal comentario por su gran talento como actor:

"Las cosas que me dan satisfacción son personales y no tienen nada que ver con mi negocio."

UN CARÁCTER INSOPORTABLE

Ningún otro actor llegó a Hollywood con ese desacato tan grande hacia la gente que habitualmente vive para el mundo del cine. Stanley Kramer aconsejó a sus socios evitar la bienvenida ostentosa dada usualmente a un actor de Broadway que llega a Hollywood a estrenar su primera película, pero ni siquiera con esta advertencia ellos estaban preparados para el tratamiento tan hosco que Brando mostró para tratar de diferenciarse de las normas básicas de comportamiento de figuras públicas.

Su guardarropa consistía en un traje andrajoso y varios cambios de camisetas y *jeans* azules; además, rehusó aceptar los alojamientos hoteleros que arreglaron para él. En vez de eso él se fue al hogar de unos tíos, el señor y la señora Oliver Lindenmeyer, en Eagle Rock, un suburbio muy simple de Los Ángeles. Las dos alcobas del hogar estaban también ocupadas por la abuela de Brando, la señora Elizabeth Myers, y el único espacio que había para que pudiera dormir el actor era un sofá en la sala, que él aceptó. Su desorden y sus desaliñados hábitos comiendo eran un choque para sus parientes. Ellos estaban avergonzados por las visitas de reporteros y fotógrafos queriendo entrevistar a Brando, quien estaba siempre dispuesto para ser entrevistado vistiendo la vestimenta de su abuela.

Brando permaneció con la familia Lindenmeyer mientras trabajó en "Hombres", a excepción de las dos semanas que él estuvo en el Hospital de Veteranos de Birmingham para estudiar el papel. Eso dio lugar a unos comentarios que llegaron hasta Hollywood, al afirmar que la única razón para hacer la película era que él no tuvo el coraje moral para rechazar el dinero. Brando consiguió mantener un mínimo de decoro y educación en esos días, solamente por respeto a sus parientes y su interés, aunque sus hábitos de vida irregulares y su carencia de cualquier decoro social hicieron su estancia muy complicada para todos los que le rodeaban.

A pesar de sus modales, Brando causó un gran impacto en Hollywood. Era obvio para los realizadores de cine que él era un actor poderoso y una personalidad única, y como tal era una mercancía vendible. Brando se dio cuenta que todo el mundo tenía que soportarle y que a pesar de sus muchos enemigos podía conseguir siempre sus propósitos. Al saberse despreciado a sus espaldas, su resentimiento tomó la forma de comportamiento áspero y comentario amargo sobre la vida en Hollywood. Brando, sin embargo, vendió parte del éxito con su neurastenia hacia la industria del cine: por su segunda película, "Un tranvía llamado Deseo", cobró setenta y cinco mil dólares; por su tercera, "¡Viva Zapata!", recibió cien mil, y paulatinamente siguió aumentando su cotización hasta que finalmente ganó la suma de un millón de dólares en 1960 por comparecer en "Piel de serpiente", una película que nunca quiso realmente realizar.

Por su trabajo en "Rebelión a bordo" Brando ganó más de un millón debido a que el rodaje debía realizarse en el extranjero, excediendo el tiempo del periodo de su contrato. Durante esos años Brando ya se había generado muchos enemigos en la industria del cine a causa de su carencia evidente de estima por las entidades financieras, y también tomó parte para realizar películas con sus propios medios económicos. La MGM, por ejemplo, encontró la excusa adecuada para convencer a la gente que el fracaso de "Piel de serpiente" estuvo debido a la manipulación de Brando.

Mientras él hacía "Desirée" con la 20th Century Fox en 1954, Brando repasó sus primeros años en Hollywood y contó a un corresponsal del *Time:*

"Cuando yo vine por primera vez a Hollywood tuve una actitud más bien preciosa y mimada sobre mi propia honra-

dez. Fue estúpido por mi parte pensar que todo estaba justi-
ficado con tal de ganar dinero. Simplemente porque las pe-
lículas importantes fueran bonitas para mí, no le veo nin-
guna razón para olvidar que ellos, los productores, se
comportaran con todo el mundo con la misma hostilidad que
las hormigas en un picnic. La cosa más maravillosa de
Hollywood es que estas gentes se reconocen como personas
normales, mientras yo soy lo opuesto."

Brando siempre tiene que demostrar que él consiguió su
éxito en el cine permaneciendo firmemente como una persona íntegra, dedicado a realizar a la perfección su trabajo,
nunca sucumbiendo a los requerimientos de la vida social de
Hollywood o participando en sus planes de publicidad. Normalmente, solamente hacía una película al año, lejos del ren-
dimiento usual para una estrella, y gastó una gran parte de su
tiempo libre viajando por el mundo. Brando, a causa de su
comportamiento juvenil en Hollywood, fue mencionado
como "El Slob", pero pronto abandonó su forma de vestir
característica de los años jóvenes y rápidamente mejoró sus
maneras, así como complementó su educación con la lectura
y el estudio. Sus amigos dicen que uno de sus problemas era
el abismo entre su poca aptitud para el estudio y su notable
inteligencia. Brando ha recibido también mucha ayuda psi-
quiátrica, comenzando sus sesiones de psicoanálisis en sus
días como aprendiz de actor en Nueva York y continuando
durante sus primeros años en Hollywood.

Marlon Brando ha evitado, tan enérgicamente como ha
podido, cualquier discusión de materias que pertenecen a su
vida privada y asuntos personales, y también se resistió a
cualquier intento por parte de los entrevistadores para hablar
del arte de ser actor:

"El público no está interesado en leer sobre mi actua-
ción, y más bien desearía saber sobre mis romances."

SUS AMORES

Brando ha tenido, según algunos comentarios, muchos romances a través de los años y su gusto por mujeres es marcado por una atracción hacia damas exóticas. Entre las actrices cuyos nombres se han vinculado con él están Rita Moreno, Nancy Kwan y Frances Nuyen.

El primer matrimonio de Brando fue con Anna Kashfi, que se crió en la India y se refiere a sí misma como nativa de la India, a pesar de que tanto ella como sus padres son británicos. Durante algunos meses concedió entrevistas a la prensa diciendo que era una budista convencida nacida en un pueblecito indio llamado Darjeeling. Su verdadero nombre era Joanne O'Callaghan y había intervenido en una película de Dmytrick titulada "La montaña siniestra". Se conocieron cuando ella llegó a Hollywood, pero su romance adquirió fuerza con motivo de su ingreso en un hospital para curarse de una tuberculosis. Ellos se casaron en Arizona el 11 de octubre de 1957, después de tener que pedir un permiso especial por ser de razas diferentes, y se separaron un año después, con un divorcio otorgado en el 1960. La separación y las disputas subsiguientes sobre la custodia de su hijo, Christian Devi Brando (1958), fueron amargas y a veces violentas, y la publicidad dada a este proceso personal fue ciertamente empalagosa y desagradable para cualquier lector de buenos sentimientos. Después de años de apelar por la custodia, él consiguió finalmente a su hijo.

Brando se casó nuevamente el 4 de junio de 1960. Su segunda esposa era la actriz mejicana Movita Castenada, la cual comenzó su carrera artística cuando interpretó a la chica tahitiana en la película "Rebelión a bordo". Varios años antes de casarse con Brando, ella había sido una buena amiga suya en los primeros años de su trabajo en Hollywood. Se divorciaron en julio de 1968 y, a diferencia de cómo se disolvió el divorcio anterior, el caso se manejó sosegadamente y los documentos de la corte se firmaron a solicitud de ambas partes. Mucha gente no fue consciente del casamiento y la anulación posterior a puerta cerrada que ambos habían planeado para proteger a los dos niños de Brando y Movita, Sergio y Rebecca. Ningún detalle del acuerdo de separación se dio a conocer a la prensa.

Brando es también el padre de un hijo que nació fuera de matrimonio. La madre es Tarita, una tahitiana que apareció con Brando en el remake de "Rebelión a bordo". El muchacho se llama Tehotu y ve a su padre frecuentemente cuando Brando viaja a Tahití, donde posee una propiedad. Es en Tahití donde Brando vivirá probablemente una vez que su carrera de actor finalice y para ello ha comprado una inmensa isla en la cual pasa ya muchos días de su vida.

Las hermanas de Brando, Frances y Jocelyn, y sus padres, ambos fallecidos (la madre murió en 1953 y el padre en 1965), han respetado sus demandas de privacidad y los reporteros han sido incapaces de atisbar revelaciones personales de ellos. Brando solamente ha bajado la guardia en una ocasión, cuando fue visitado por Truman Capote en el Japón, mientras rodaban la película "Sayonara", cuando durante largas horas mantuvo una interesante conversación hasta avanzada la noche con el brillante autor. Marlon le expuso algunos de sus temores, dudas y lamentos, quizá porque tenía una gran carencia amistosa con su padre y un fuerte apego a su madre, a quien él adoró. Brando también comentó su evidente incapacidad para confiar en alguien lo suficiente para ser capaz de apreciarle.

De todo esto informó Capote en forma detallada en un largo artículo para *New Yorker*. Brando lo lamentó y se enfadó.

Cuando se le piden explicaciones del porqué de su aversión hacía la prensa, Brando dice:

"Porque los escritores son irresponsables, fieros, viciosos y explotadores. Porque mi vida privada es mi negocio, no el suyo. Porque ustedes han hecho todo lo posible para dar de mí una imagen falsa. Yo no soy un grosero, un patán, un cabecilla. Yo soy un ser humano y no tienen derecho alguno a pedirme preguntas personales. ¿Por qué, si solamente soy un actor, usted tiene el derecho de preguntarme sobre mi familia? Ellos no hacen cine. Pero por lo visto todo vale para la prensa de Hollywood. Ellos no se molestan pidiendo cuestiones, ellos escriben historias de cualquier manera y cuanto más irreales e irresponsables mejor. Yo no tengo ocasión de emplear periodistas para decir la verdad. Estos informadores son detestables y aburridos. Desprecio las revistas de cine y pienso que es insípido para las publicaciones nacionales complacer al mercado inventándose noticias, sea la que sea. Hay gente que piensa que los actores famosos tenemos la obligación de responder a todas las preguntas que nos hagan sobre nuestra intimidad, que es el precio que tenemos que pagar por la fama y el dinero. Dicen que somos de interés público y hay jueces que opinan lo mismo. Los que opinan así son carroña."

LOS PAPELES QUE PUDO INTERPRETAR

Irónicamente, las protestas de Brando han servido para hacerlo aún más interesante y, como muchos críticos han indicado, es el carácter hostil de Brando, unido a su talento, lo que le han convertido en una atractiva figura con el paso de los años.

Marlon Brando muchas veces ha bajado su cotización por aparecer en películas que luego llegaron a ser un éxito, "Lawrence de Arabia" fue una de ellas; pero a diferencia de la mayoría de los actores él se ha mostrado poco quejoso por no ser llamado y cualquier desilusión que tuviera sobre el fracaso de la mayoría de sus películas en la década de los 60, él se la ha guardado para sí mismo.

En 1968 declinó una oferta de la 20th Century Fox para interpretar "Dos Hombres y un Destino". Más sorprendentemente todavía eludió aparecer en "El Compromiso", que lo habría reunido con Elia Kazan después de catorce años desde que trabajaran juntos con tanto éxito. A pesar de la gran influencia que Kazan tuvo sobre la primera etapa artística de Brando, y el hecho de que él dirigiera tres de las mejores películas del actor, no parece haber supuesto nada para que aceptara trabajar juntos. Kazan sostiene que varios manuscritos enviados a Brando se le devolvieron mediante un agente de Brando, aunque había un acuerdo previo para que hiciera "El Compromiso", una historia basada en el libro más vendido de Kazan y del cual iba a ser productor y director.

Kazan está convencido de que Brando hubiese querido por voluntad propia interpretar este papel de un opulento ejecutivo de publicidad, que, sometido a una gran tensión personal y por su propio negocio, se rebela contra los valores y normas de su ambiente. Brando, según Kazan, ha hecho lo imposible para que Kazan contara con él posteriormente, pero el rodaje ya había empezado con Kirk Douglas como protagonista. Contando con la brillante actuación de Douglas, la película tuvo un buen resultado económico, que el instinto de Brando podría haber percibido desde el comienzo. Kazan admite que Douglas en algunas escenas fue una mejor elección que lo hubiera sido Brando, en parte porque la personalidad enérgica propia de ese actor favoreció su interpretación como un duro ejecutivo.

Que Kazan quisiera que Brando hubiera sido el protagonista es lógico, ya que así la interpretación hubiera tenido una ambivalencia más lógica, entre el ejecutivo agresivo y el hombre desesperado de su trabajo. Esa novela reflejó en su mayor parte los propios sentimientos de Kazan hacia el dilema de la vida moderna, y al tratar de utilizar a Brando quería describir la propia vida del mítico actor, quien vive sometido a una continua contradicción: ama al cine tanto como detesta la vida que le rodea.

Brando tuvo poco que decir sobre su repulsa para aparecer en "El Compromiso", excepto que él se buscó excusas poco convincentes:

"Usted puede decir cosas importantes a mucha gente sobre la discriminación y el odio, pero yo quiero hacer películas que hablen de los problemas del mundo de hoy."

UNA PELÍCULA PROBLEMÁTICA

Brando admiraba a Gillo Pontecorvo por "The Battle of Algiers" y contó que el director estaría interesado en trabajar con él. Pontecorvo rápidamente aprovechó esta simpatía y sugirió filmar una antiimperialista historia sobre una sublevación en una isla del Caribe a mediados del siglo XIX. El primer título, "Quemada", fue cambiado por el original en portugués, "Queimada", porque el gobierno español había puesto objeciones sobre su injerencia en el Nuevo Mundo y además se negó a que se rodara en España.

La película contó la opresión europea de una población nativa por razones de comercio, y los productores estaban claramente dispuestos para permitir que el público estableciera un paralelismo con Vietnam. El proyecto gustó a Brando y él acordó que la película debería ser rodada en la remota ubicación de Cartagena, Colombia.

El rodaje comenzó en el verano de 1968 y se prolongó tediosamente durante varios meses, provocando un gran cansancio en los trabajadores, en su mayor parte actores aficionados y bastantes extras. Pontecorvo y Brando pronto comenzaron a diferir sobre muchos aspectos del concepto de la historia y la producción, y en muchas ocasiones tuvieron serios enfrentamientos. En febrero de 1969 Brando decidió dejar Colombia y aconsejó a Pontecorvo que si quería seguir filmando tendría que hacerlo en otro lugar. Pontecorvo no había mostrado ninguna prisa por terminar el rodaje pero, como tenía completado ya el noventa por ciento de la película, dejó que Brando se fuera.

El material adicional se hizo en Marruecos y en ubicaciones europeas, comprometiendo a la compañía para casi un año de producción, al final de cuyo tiempo únicamente unos pocos técnicos seguían cobrando su sueldo. El título de la película se cambió en Estados Unidos por "¡Bourn!", para alivio norteamericano, con unos veinte minutos más que en la versión europea, pero fracasó en su intento de lograr impresionar a los críticos o el público. Tristemente para Marlon Brando, "¡Bourn!" fue una más de sus películas que no triunfaron en taquilla.

Al mismo tiempo que Pontecorvo y su compañía estaban trabajando sobre su película en Colombia, Paramount estaba rodando una gran producción a unas millas de distancia, aportando millones de dólares para el rodaje de "The Adventures", de Harold Robbins. Con esta película se presagiaba otro gran fracaso económico, mucho más que "¡Bourn!", pero la Paramount tiró la casa por la ventana para promocionar su producto, organizando coloquios entre periodistas europeos, estadounidenses y canadienses. Los periodistas, por supuesto, aprovecharon la proximidad de la otra película para conseguir una entrevista con Marlon Brando.

Por este tiempo los publicistas de Pontecorvo habían abandonado la idea de conseguir que Brando colaborase con ellos en cualquier acto de promoción. Él rehusó hacer cualquier comentario sobre "¡Bourn!" y abandonó el lugar del rodaje coincidiendo con la salida de varios de los periodistas, y cogió un vuelo desde Cartagena a Miami. El reportero Sid Adilman, de la revista de espectáculos *Toronto,* consiguió un asiento en el avión desde el cual podía mirar perfectamente a Brando. Según pudo contar posteriormente, "yo había estado mirando a Brando mientras leía y esperaba el despegue. Inconscientemente, él se inclinó hacia mi asiento para preguntarme si tenía una cerilla. Lo de la cerilla fue una introducción, aunque yo no estaba interesado en su vida personal. Simplemente, yo le pregunté si nosotros podríamos charlar mientras volábamos. Él asintió con la cabeza".

Adilman le preguntó el porqué de su rechazo a filmar la película "El Compromiso", de Kazan, y la contestación fue:

"Yo me quedé muy afligido cuando mataron a Martin Luther King. Recientemente he tenido una gran preocupación por la naturaleza, los animales y el ser humano. Cada vez más yo siento que es difícil evitar lograr un reproche hacía uno mismo y la tendencia del hombre para comportarse agresivamente."

Entonces pidió otra cerilla y encendió otro cigarrillo, rehusando el almuerzo ofrecido por una azafata, inclinándose hacia Adilman para preguntarle si posteriormente recordaría toda la conversación.

"Si no, entonces tome usted notas para asegurarse que reflejará todo lo que hablemos. Yo soy muy serio en esto."

Brando empezó entonces a discutir su asco hacia la humanidad agresiva y sus dudas sobre la supervivencia de las especies humanas. Él habló de la liquidación de multitudes de personas de diversas razas y credos, y en particular del tratamiento hacia las tribus indias de América. Hablaba pausadamente, empleando tonos bajos.

"Si el mundo se organizara mañana de tal forma que nosotros fuéramos todos de un mismo color y nosotros todos tuviéramos la misma filosofía política y un mismo sistema económico, además de hablar el mismo idioma, la gente diestra comenzaría a encontrar la manera para acosar y exterminar a toda la gente zurda. La gente tiene necesidad de un enemigo. Ellos necesitan encontrar un blanco a quien disparar y necesitan encontrar una maldad para exterminar. El fracaso de la religión ha probado que no se ha enseñado adecuadamente el amor fraternal a todos. La avenida Madison es un testamento de que cualquier cosa puede ser oprimida y eso me hace pensar que el amor fraternal debe ser estimulado."

Después de divagar sobre diversos temas, Brando comenzó a inquietarse con la entrevista y Adilman, astuto, puso lejos su cuaderno. Pero como el avión aterrizaba ya en Miami, Brando miró a través de Adilman y dijo:

"Usted sabe que todo lo que he dicho ha sonado atrozmente pomposo. Yo realmente he querido decir lo que he dicho."

Con ese comentario que Brando agregó a la entrevista me quiso decir que la mayoría de los reporteros escriben cosas que él nunca ha dicho ni pensado. La entrevista se había realizado sobre los pensamientos del propio Brando, discutiendo temas únicos de su elección y aun así él estaba dudoso de que el periodista escribiera al final lo que había dicho.

Cuando habla de otros periodistas que le han entrevistado, Adilman sospecha que el actor es enemigo para la prensa, pero también es temido por no responder a las preguntas que no desea que le hagan, dejando la respuesta en blanco. Aunque a otros periodistas les hubiera gustado hablar sobre el asunto de "Queimada", Adilman no consiguió que hiciera ningún comentario sobre el rodaje. Él, sin embargo, consiguió una conversación con uno de los técnicos de la película, quien le contó que Brando una tarde le preguntó: *"¿Si usted tuviera diez millones de dólares y fuera una persona feliz, qué haría?"* El técnico se quedó pensando un momento y no le contestó porque, según le contó a Adilman: "Brando busca alguna cosa. Yo estoy seguro de ello".

EL ÉXITO DE *"EL PADRINO"*

El éxito de "El Padrino" ocasionó una gran satisfacción en Marlon Brando. Algunos críticos de cine habían lamentado el declive de hace años de un gran talento, la mala suerte y el mal juicio al comparecer en el fracaso de algunas películas, con una subsiguiente pérdida de prestigio y popularidad.

Dijo Elia Kazan: "Brando ha sido bueno en todo lo que él ha hecho, pero él fue un gigante atrapado en todas esas películas menores, y la gente empezó a decir que ya estaba acabado." "El Padrino" trajo hacia él un cambio de pensamiento. Los críticos empezaron a hablar con entusiasmo de su actuación como Don Corleone y la frase "el actor más fino de América" formó parte una vez más como forma de expresión del negocio del cine.

El éxito y la alabanza produjeron, sin embargo, pocos cambios en la disposición de Brando hacia la prensa, aunque hizo un gran negocio vendiendo su imagen y consiguiendo un porcentaje de los ingresos en taquilla de la película durante el resto de su vida. Pero los reporteros lo abordaron insistentemente como si este éxito pudiera haber cambiado su actitud hacia el trabajo, encontrado a un Brando imperturbable así como maldispuesto para modificar su postura de hace años:

"Puede parecer peculiar que yo haya gastado la mayoría de mi maravillosa carrera en cosas que nunca debía realizar. Por supuesto, yo he tenido que hacer una vida como actor pero nunca ha sido la fuerza dominante en mi vida."

Las conversaciones con Brando pueden excitar y desafiar cualquier otra noticia que sobre él tengamos a través de los periódicos. Cuando alguien habla con Brando se encuentra rápidamente metido dentro de una amena y profunda conversación sobre los viajes, política, filosofía y libros, y el único requisito es no hablar de teatro, películas ni vida privada.

Brando no tiene en realidad la mente concentrada en su carrera, tomándola como una materia más en su vida y no sintiendo una especial preocupación o consideración por sus éxitos o fracasos. Él admite que hay cosas que podría haber hecho de manera diferente, pero, unido al gran interés que él y su carrera generó el éxito de "El Padrino", se ha visto en la necesidad de volver a hablar sobre su profesión, como hacía hace años, y dedicar menos tiempo a derechos civiles, la promesa de ayudar a las razas oprimidas, y para investigar en nuevas maneras de descubrir nuevas fuentes de alimento a través del plancton marítimo.

Posee una gran finca en una isla particular de la Polinesia y su desdén para aparecer en celebraciones continúa vigente, comentando en una ocasión con una sonrisa:

"Tan pronto como uno llega a ser un actor famoso, la gente comienza a pedir que hable o se meta en política, que hable de astrología o arqueología, y hasta sobre el control de la natalidad. Y es que hay actores que gustan de hacer el ridículo dando sus opiniones sobre temas que desconocen."

UNA PELÍCULA ERÓTICA

El interés renovado en Marlon Brando adquirió una mayor intensidad en 1973 cuando la prensa confirmó rumores de que él había hecho una película que involucra pasajes gráficos largos de pasmosa materia sexual. "El Último Tango en París" adquirió entonces interés creciente y morboso en las noticias de las revistas, más que cualquier otra película había recibido jamás, creando una controversia igual a la que antes se había originado sobre los filmes pornográficos y los peligros que podrían ocasionar en los valores morales de los espectadores.

En una actuación aparentemente desenvuelta, Brando eligió no censurarse a sí mismo en materias de desnudez, idioma y expresión sexual. Si el Brando totalmente verdadero y la entereza de su cooperación con el director Bernardo Bertolucci se reconoce hoy día por su gran valor, contó a Bertolucci que él había realizado la película como un reto a la industria del cine, pero que había infringido sus propias normas éticas y que nunca volvería a realizar una película de esta naturaleza.

Seguramente la película da a conocer otras facetas que las puramente físicas, mostrando perfectamente la angustia de un atormentado, el medio anciano Midwesterner, quien mantiene sus recuerdos sobre una niñez triste, olvidado por sus padres y con gran tristeza, sostiene relaciones dolorosas con mujeres. Los estudiantes de Brando tienen razón al considerar "El Último Tango en París" su película personal.

Sin embargo, el observador atento debe rechazar la evolución pesimista de Brando y denigrar sobre sus películas mediocres, porque con este filme y con otros que vinieron a continuación nos demostró que seguía siendo el mejor. Su gran actuación maestra como Stanley Kowalski en el "Tranvía" y como Terry Malloy en "Waterfront", nos demuestra mucho sobre su gran condición humana, aumenta nuestras sensibilidades y nos informa sobre nuestras vidas. Todos quienes lo han visto en esta película han dicho que algo había cambiado en Marlon Brando. Pero si nos gustan los grandes actores, él nos muestra que es un ser humano. Su Don Corleone es grande, no como el de un monstruo en términos sociales, sino como una persona de grandes dimensiones humanas que vive un universo de dolor, lástima y aflicción. Tras Corleone está la causa de Marlon Brando que nosotros podemos ver a veces por nosotros mismos, unido a la figura severa de El Padrino. Es el regalo de Brando a nosotros.

INTERVENCIONES EN EL TEATRO

**(Los comentarios pertenecen, lógicamente, a
críticas que se realizaron en el momento de
su estreno.)**

"I Remember Mama"

1944.

Director: John Van Druten.
Música: Box theatre.
Guión: Van Druten.
Intérpretes: Marlon Brando, Joan Tetsel y Nancy Marquand.

"I Remember Mama" está basada en la obra Mama´s
Bank Account, de Kathryn Forbes, y describe las incidencias
en la vida de un noruego con una familia estadounidense que
se encuentra en San Francisco a principios de siglo. La interpretación se ganó el elogio de los críticos por su calidez, honestidad y humor universal.

Marlon Brando intervino en la obra cuando contaba
veinticinco años, en ella interpretaba el hijo que quería ser
doctor.

La opinión de Marlon Brando respecto a ella fue que él no la consideraba tan satisfactoria.

"Truckline café"

1946.

Director: Harold Clurman.
Guión: Maxwell Anderson.
Intérpretes: Virginia Gilmore, Robert Simon y Marlon Brando.

Marlon Brando interpretaba a un veterano de la segunda guerra mundial que asesina a su infiel esposa. Estos hechos ocurren fuera de escena, pero él entra y cuenta lo que ha hecho mientras espera la llegada de los policías.

A los críticos no les gustó su interpretación y Maxwell Anderson utilizó la página completa de un anuncio para comentar: "El público es el mejor calificado para juzgar las interpretaciones, más aún que los hombres que escriben para nuestros diarios", y a continuación añadió: "Esto es un insulto a nuestro teatro hecho por incompetentes e irresponsables."

La obra se cerró después de trece representaciones.

Marlon Brando y Ann Shepherd llevaban la peor parte del melodrama con una habilidad considerable.

Como el asesino joven que representaba, Marlon Brando es bastante efectivo en una escena emocional difícil.

"Cándida"

1946.

Director: Guthrie McClintic.
Guión: Bernard Shaw.

Intérpretes: Marlon Brando, Katherine Cornell y Cedric Hardwiche.

Eugene Marchbanks (Marlon Brando), con dieciocho años de edad, lloriqueando como un cachorro cobarde, se enamora de Mrs. Morell (Katharine Cornell), la esposa de un ministro socialista (Cedric Hardwicke), un moralista, quien actúa como predicador por amor.

Marchbanks insiste para que ella escoja entre los dos y ella escoge al hombre más débil. Su esposo se sorprende cómo hace ella para encontrar los medios para sobrevivir.

Katherine Cornell declaró de Brando que cuando él estaba en escena era el mejor y que fue el Marchbanks más fino.

El joven Brando se abrió camino de repente con esta obra y comenzó su ascendente carrera. En esta obra logró un creíble carácter introvertido mediante una interpretación muy sosegada. Su intensidad estaba dentro de él, donde debía estar.

"A Flag Is Born"

1946.

Director: Luther Adler.
Guión: Ben Hecht.
Música: Kurt Weill.
Intérpretes: Marlon Brando, Paul Muni y Celia Adler.

Producida por la Liga Estadounidense para la Liberación de Palestina, "Una Bandera" nace como una exhibición de propaganda. La partitura de Kurt Weil gustaba tanto como la actuación de Paul Muni en el papel principal. El manuscrito de Ben Hecht por otra parte no era como, la mayoría de los críticos encuentran, una conferencia fastidiosa.

Marlon Brando interpretaba a un joven judío que se unió a los combatientes clandestinos, convencido de que su tierra natal judía podría ganarse únicamente mediante el judaísmo militante.

Paul Muni, Celia Adler y Marlon Brando obviamente sienten hondamente la gravedad de su mensaje y llevan a cabo sus actuaciones como el trío torturado bajo las graves normas, y sus actuaciones son impresionantes.

Marlon Brando, el joven actor que taqnto fue aclamado la última temporada, es un amargo e impasible David.

"Un tranvía llamado Deseo"

1947.

Director: Elia Kazan.
Guión: Tennessee Williams.
Intérpretes: Marlon Brando, Jessica Tandy, Karl Malden y Kim Hunter.

Miss Tandy es apoyada brillantemente por Marlon Brando como Stan, quien trae una violencia apasionada y fiera a la escena.

Marlon Brando, como Kowalski, es, como se ha indicado anteriormente, el simio casi puro (descripción de su cuñada cuando él aparece en la oscuridad) y, aunque él indudablemente enfatiza los horrores del Vieux Carré a diferencia de Belle Reve, es una brutal y efectiva caracterización.

Brando es en nuestro teatro el mejor actor joven de todos e interpreta su obra más memorable.

Nadie probablemente ha efectuado antes una actuación tan brillante en el papel del cuñado como Marlon Brando, el más asombroso actor que hayamos visto nunca.

Mr. Brando está magnífico como el esposo directo, con sus problemas simples, sus afectos simples y su humor directo.

FILMOGRAFÍA

"Hombres"
(The Men)

1950.
85 minutos.
Blanco y negro.

Productores: Stanley Kramer y George Glass.
Director: Fred Zinnemann.
Guión: Carl Foreman.
Intérpretes: Marlon Brando (Ken), Teresa Wright (Ellen), Everett Sloane (doctor Brock), Jack Webb (Norm) y Richard Erdman (Leo).

Brando no era solamente un gran actor, sino una fuerza que solía vivir en tugurios. Tenía una calidad volcánica que parecía necesitar explotar mediante su trabajo en los escenarios.

"Hombres" era la historia de un conjunto de veteranos de guerra norteamericanos, paralizados de cintura para arriba, y que estaban residiendo en un hospital mientras se recuperaban de sus heridas y de su invalidez. En la mayoría de los casos, se consideran impotentes para sobrevivir sentados de por vida en su silla de ruedas.

Los comienzos de la película nos muestran a las madres, esposas, novias y amigas que forman parte de la vida de un parapléjico.

El filme, un sincero y sentimental documento real centrado en la vida de uno de estos hombres, Ken Wilozek (Marlon Brando), un teniente de infantería, está realizado con gran realismo. Ellen (Teresa Wright) hizo igualmente una gran interpretación como la mujer que trata de ajustarse física y emocionalmente a su nuevo papel como enfermera y amante de un paralítico.

El manuscrito de Carl Foreman era una historia lenta y pesada cuando fue entregado a Zinnemann y en él Teresa Wright tenía que decir cosas como: *"Yo no quiero vivir con un animal entristecido. Yo me quiero casar con un hombre."* Webh (haciendo el papel de un paciente que trata de rehabilitarse al mismo tiempo que participa con sus compañeros en su adaptación a la sociedad) tuvo que decir cosas como: *"Yo no sé qué es lo que me pregunta. Todos nosotros estamos haciendo una comedia, los enfermos y los demás. En esencia nos comportamos cínicamente ante la paraplejía."*

LA OPINIÓN DE LOS CRÍTICOS

"Este actor procedente de Broadway llamado Marlon Brando, en su primera película, hace un trabajo magnífico. Su forma de hablar masculada y con desgana, mirando sin hablar y la simulación experta de su paraplejía, no da la impresión de estar actuando; produce la sensación de que está viviendo la realidad.

Su cara, el ritmo entero de su cuerpo y especialmente el timbre extraño de su voz, entre rota y quejumbrosa, con la mandíbula articulándose sin reparos en cada palabra, utiliza los silencios con gran dramatismo y parece congelar su ima-

gen para fustigar posteriormente con saña apasionada la siguiente escena."

"Brando resulta ser un gigante con la cara de un poeta y
él construye su imagen de un boxeador de peso pesado. No
tengo ningún reparo en afirmar que nos encontramos ante el
mejor actor de Hollywood de este año. No pienso que él
haya demostrado todavía todo lo que es capaz de realizar
ante las cámaras. Él posee una forma de mirar ardiente, una
manera de articular sus palabras redondeado su lengua y entonces las expulsa fuera como si en ese momento sus frases
adquiriesen el verdadero significado."

"El éxito comercial de la película depende, por supuesto,
de Marlon Brando, cuya combinación de estilo, profundidad
y la gama tan amplia de matices que emplea, vienen como
una transfusión de sangre en el cine actual.

Yo no creo que nadie podiera mejorar la labor de Brando
en el filme "Hombres". En su papel como un veterano incapacitado, él parece tan auténticamente paralítico que conse-
guirá que la mayoría de los actores de Hollywood modifi-
quen sus modos de actuar ante este actor. A partir de ahora,
los héroes del cine serán diferentes. Es importante resaltar,
además, que junto a su buena apariencia física posee unos
ademanes muy viriles y una buena técnica interpretativa."

Una vez que hubo terminado su trabajo en la obra de
teatro "Un tranvía llamado Deseo", recibió sus primeras
ofertas cinematográficas, pero en esos años no estaba pre-
dispuesto a trabajar en el cine, género que lo consideraba
como menor, llegando a afirmar que nunca se había realizado en Hollywood una buena película y posiblemente
nunca se haría.

Quien se consideró engañado por Brando fue Stanley
Kramer. Kramer estableció su propia compañía de producción en 1949 y en su conjunto logró hacer películas que tu-

vieron alguna cosa que decir sobre los problemas de la vida norteamericana en aquellos años.

Su primera película, "Champion", trató sobre el violento mundo del boxeo, continuando con "Home of the Brave". Para su siguiente filme Kramer eligió el tema de los problemas de los veteranos parapléjicos que volvían a sus hogares después de la guerra, un tema que él consideró que quizá no sería demasiado comercial pero que sentía la necesidad de filmarlo.

Por eso es lógico que buscara como protagonista a una persona que tuviera un carácter rebelde y polémico, aunque ello supusiera serios enfrentamientos con los productores, quienes ya veían en el joven Brando a un actor que solía estropear con su carácter muchas obras teatrales.

Cuando le preguntaron por qué se había tomado tantos problemas para estudiar los problemas de la paraplejía, Brando explicaba:

"Yo he sentido que ésta era una situación dramática importante. Ninguna es fácil, pero este drama provoca un hombre completamente inútil, peor que un bebé o un animal. Es imposible que nos podamos dar cuenta de tal desesperanza y frustración, a menos que usted viva como ellos."

"Un tranvía llamado Deseo"
(A Streetcar Named Desire)

1951.
122 minutos.
Warner Bros.
Blanco y negro.

Productor: Charles K. Feldman.
Director: Elia Kazan.

VIVIEN
LEIGH
MARLON
BRANDO

Un tranvía
llamado
Deseo

Escrita por Tennessee Williams y adaptada por Oscar Saul.

Intérpretes: Viven Leigh (Blanche DuBois), Marlon Brando (Stanley Kowalski), Kim Hunter (Stella Kowalski), Karl Malden (Mitch), Rudy Bond (Hubbell) y Nick Dennis (Pablo Gonzales).

Ésta es la versión clásica para la pantalla de la obra que se estrenó en Broadway en 1947 y fue exhibida durante dos años. Marlon Brando representó perfectamente el papel del bruto Stanley Kowalski, del mismo modo que lo hizo en su primera película "Hombres".

Elia Kazan dirigió la película en la zona oeste de Nueva York, junto a Brando, Kim Hunter, Karl Malden, Rudy Bond, Nick Dennis, Peg Hillias y Edna Thomas. Jessica Tandy, que había actuado en la versión teatral en el papel de Blanche DuBois, fue la única actriz importante que fue reemplazada. Los jefes del estudio pensaron que ella no era suficientemente conocida en los medios cinematográficos y le otorgaron su papel a Vivien Leigh, quien había interpretado la misma obra en Londres, pero dirigida por su marido Laurence Olivier.

El dramaturgo Tennessee Williams, que había logrado ya un gran éxito en 1950 con "The glass Menageire", una adaptación de su película, escribió el guión de esta nueva película en colaboración con Oscar Saul. Las concesiones que tuvieron que realizar consistieron esencialmente en la introducción de códigos y referencias a la homosexualidad del esposo muerto de Blanche, alusiones que se borraron en la versión cinematográfica, así como el final de la película en el cual Stella decide salir con Stanley después que él violase prácticamente a su hermana. La modificación se hizo necesaria para no dar a entender que se iba a marchar con ese hombre.

La producción en sí misma no tuvo problemas, salvo que la actriz Vivien Leigh trató de realizar su interpretación de igual modo a como la había efectuado en la obra teatral de su marido Olivier. Esto no gustó a Kazan y al resto de los actores, la mayoría de los cuales habían estudiado bajo el "Método Stanislavsky". Sin embargo, las diferencias no afectaron a la película, y no hubo ningún motivo de enfrentamiento entre nadie.

La película comienza con la llegada de Blanche DuBois (Vivien Leigh) a Nueva Orleáns para visitar a su hermana Stella, que está embarazada (Kim Hunter), y al esposo de la hermana, Stanley Kowalski (Marlon Brando). Para llegar a su destrozado apartamento, ella tiene que tomar un tranvía llamado Deseo (nombre de una calle de Nueva Orleáns) y hacer transbordo a otro llamado Cementerio, con el cual llegará a una zona conocida como French Quarter, en el centro de los Campos Elíseos.

Las hermanas se emocionan al verse una frente a la otra, aunque ellas no podrían ser más diferentes. Stella es una mujer gris, feliz en su matrimonio a pesar de estar casada con el rudo Stanley, mientras que Blanche es delicada, ligera y profundamente neurótica. Stanley inmediatamente se da cuenta de que tras la bella fachada de Blanche hay un mundo distinto.

Una vez que es informado que las dos hermanas han heredado una gran hacienda (Belle Reve) de sus padres, Stanley comienza a interrogar a Blanche para lograr más información sobre la propiedad, haciéndola constar que según el antiguo código napoleónico de Lousiana, él, como esposo de Stella, está autorizado a utilizar la mitad de la propiedad y por tanto a vender la hacienda.

Stanley se entrevista con un abogado para encontrar nuevos datos sobre la vida anterior de Blanche y finalmente ella le confiesa que tuvo que hipotecar la mansión para financiar sus propios gastos, perdiendo finalmente toda la propiedad.

Esto enfurece a Stanley, y él comienza a investigar todo el resto de la vida pasada de su cuñada.

Entre tanto, las tensiones aumentan entre ellos, al ser incapaces de escapar el uno del otro en el pequeño apartamento. A pesar de las objeciones de Stella, Stanley no alterará su estilo de vida y continúa trayendo a sus amigos a su casa para organizar maratones de póquer. Uno de sus amigos, Mitch (Karl Malden), es un solterón que vive ligado a su madre, pero que tiene un poco más de educación que el resto de sus compañeros, además de ser una persona sincera.

Cuando Mitch encuentra por primera vez a Blanche se queda hechizado por ella, y comienza entonces a cambiar su comportamiento en su intento de parecer a los ojos de la chica como un hombre sofisticado. Stanley no puede permanecer quieto viendo cómo su compañero está siendo seducido por Blanche, y trata de demostrar que ella es un fraude total.

El juego de cartas continúa mientras los jugadores beben cerveza tras cerveza. Blanche quiere poner la radio y Stanley se niega, llegando a un punto tal de su hostilidad que él rompe la radio y golpea a Stella. Cuando todos se marchan, Stella y Blanche se van al apartamento de Eunice Hubbell (Hillias) a pasar la noche.

Stanley está solo en el apartamento y no puede soportarlo. Él sabe que se ha portado mal y por ello sale afuera y llama a gritos a Stella para que vuelva. Sus fuertes gritos no son atendidos y vuelve a gritar con más fuerza, hasta que después de un tercer grito la chica por fin sale. Ella mira debajo de la escalera de hierro donde está Stanley, y entonces lentamente camina hacia él. Stanley baja hasta sus rodillas, y mientras llora de felicidad pone su cabeza sobre el estómago hinchado de la chica, y la envuelve con sus brazos alrededor de su cintura. Él la besa pasionalmente, y la lleva dentro de su apartamento mientras los vecinos miran.

Cuando Stanley consigue información sobre el pasado sórdido de Blanche, incluyendo el suicidio de su esposo y su romance con un estudiante de la escuela superior, él comparte esta información con Mitch, quien rápidamente deja a Blanche, forzando más hondamente aún su depresión.

Cuando los dolores de Stella comienzan, es llevada al hospital, y la pareja Stanley y Blanche se encuentran solos en el apartamento por primera vez. Stanley la viola allí mismo, después de cruzarse insultos mutuos y algunos golpes. Su esposa es requerida por los médicos del hospital para que ingrese en un hospital psiquiátrico y cuando se marcha del brazo del doctor (Richard Garrick), le dice furiosa a Stanley que no la toque nunca más.

Los ingresos brutos de la película fueron más de cuatro millones de dólares, una suma muy alta para 1951. Brando cobró setenta y cinco mil dólares por su trabajo y posteriormente recibiría tres millones de dólares por comparecer simplemente en tres escenas en "La Fórmula" (1980). A pesar del hecho de que éste era el papel que lo convirtió en una estrella, Brando nunca le gustó su papel de Kowalski, y siempre ha dejado bien claro que no se identificaba con ese personaje. Los sentimientos personales de Brando no han evitado que para nosotros ésta fuera una de sus mejores interpretaciones en el cine.

Premios:

Nominada para mejor película: Charles K. Feldman.
Nominada para mejor actor: Marlon Brando.
Mejor actriz: Vivien Leigh.
Mejor actor secundario: Karl Malden.
Mejor actriz secundaria: Kim Hunter.
Nominada para mejor director: Elia Kazan.
Nominada para mejor historia y guión: Tennessee Williams.

Mejor dirección artística y decoración: Richard Day y George James Hopkins.

Nominada a la mejor fotografía: Harry Strading.

Nominada por mejor vestuario: Lucinda Ballard.

Nominada por mejor música: Alex North.

Nominada por mejor sonido: Coronel Nathan Levinson.

"¡Viva Zapata!"
(¡Viva Zapata!)

1952.
113 minutos.
Blanco y negro.
20th Century Fox.

Productor: Darryl F. Zanuck.
Director: Elia Kazan.
Guión: John Steinbeck.
Basada en la novela "Zapata", de Edgcumb Pichon.
Intérpretes: Marlon Brando (Emiliano Zapata), Jean Peters (Josefa Espejo), Anthony Quinn (Eufemio Zapata), Joseph Wiseman (Fernando Aguirre), Arnold Moss (Don Nacio) y Alan Reed (Pancho Villa).

Marlon Brando y Elia Kazan se unieron para hacer una agitada y poderosa biografía de Zapata, un legendario mejicano revolucionario que permanece vivo en la memoria de los mejicanos rurales, como lo demuestra el movimiento zapatista creado recientemente.

La película comienza en el grandioso palacio presidencial del tirano Díaz (Fay Roope) en Ciudad de Méjico. Díaz, el patrón, permite a un grupo de peones del estado de Morelos que le hagan llegar sus quejas. Los peones, granjeros pobres con las camisas y el pantalón de algodón blanco barato,

vistiendo sandalias y nerviosamente agarrando sus sombreros de paja, cuentan sosegadamente a Díaz que sus tierras han sido, una vez más, asaltadas por los terratenientes ricos de su distrito.

Cuando Díaz cuenta a sus campesinos que deben ser pacientes y que tienen que marcar claramente el límite de sus tierras, un hombre con gesto amenazante se adelanta hacia él, diciendo a Díaz que el maíz debe plantarse de tal manera que la gente pueda comer. Díaz repite su declaración sobre los límites de los terrenos, basados en escrituras antiguas, y el hombre, Emiliano Zapata (Marlon Brando), mueve la cabeza pausadamente y se va. Díaz se da cuenta que ese Emiliano no es un simple peón y cuando la delegación de los campesinos se marcha, él toma la lista de los nombres del grupo y hace circular el nombre de Emiliano Zapata, como una persona a ser vigilada.

La comprobación de los límites de las tierras por Emiliano y su hermano Eufemio (Anthony Quinn), conduce al grupo de campesinos hacia un maizal enorme, en el cual comprueban que sus tierras han sido expropiadas. Repentinamente, un escuadrón de policías a caballo comienza a disparar sobre los indefensos peones, y con la ayuda de una ametralladora realizan una masacre, incluidos mujeres y niños. Emiliano, montado sobre un hermoso caballo blanco, coge la ametralladora, dispara contra los soldados y posteriormente se refugia en las montañas. Este acto ocasiona que Emiliano y Eufemio sean considerados como forajidos, aunque su refugio en los montes es muy eficaz.

Pablo (Lou Gilbert), uno de los hombres de Emiliano, lo urge para que establezca acuerdos con Francisco Madero (Harold Gordon), un intelectual mejicano muy respetado, que está en guerra contra el régimen despótico de Díaz. Emiliano pregunta por qué, si Madero es un serio adversario para Díaz, la pelea contra el déspota tiene que realizarse en la frontera con los Estados Unidos. Reforzando la creencia de su amigo Pablo de que Madero es la persona adecuada para la rebelión, le envía a entrevistarse con él. Anteriormente, un excéntrico periodista, Fernando Aguirre (Joseph Wiseman), le trajo una llamada de Madero pidiéndole ayuda a Emiliano. Cuando regresa Pablo, le dice a Emiliano que debe confiar en Madero. Zapata se pone en marcha y en el camino se le une una gran cantidad de campesinos que le aclaman como líder.

Emiliano es un hombre que se fue por dos direcciones. Una parte de él quiere ayudar a su gente, mientras que la otra parte quiere casarse con la hermosa Josefa Espejo (Jean Peters), hija de un rico comerciante. Ambos se encuentran en una iglesia y allí se hacen promesas que él reformará posteriormente.

Se pone a trabajar con un amigo suyo llamado Don Nacio (Arnold Moss), que es criador de caballos, y allí desempeña un importante trabajo. Un día ve cómo un chiquillo coge un alimento sin permiso y es azotado brutalmente. Emiliano da un salto sobre el hombre que esgrime el látigo y le golpea hasta dejarlo inconsciente. Don Nacio salta corriendo y ante las protestas de Emiliano le expulsa del trabajo.

Viajando con Eufemio (Anthony Quinn) a lo largo del camino, Emiliano encuentra a dos policías montados que conducen un peón detrás de ellos con un soga atada alrededor de su cuello e insiste para que ellos dejen al hombre que se vaya. Los caballos de los policías aceleran su marcha, arrastrando al peón por el cuello. Emiliano corre detrás de ellos, viajando al costado del hombre, y balanceando su machete corta la soga y el hombre cae sobre el maizal.

Cuando los policías huyen, Eufemio sigue tranquilamente su camino, mientras que Emiliano se apea y retiene al peón en sus brazos. Está muerto. Los otros granjeros acuden alrededor de Emiliano, advirtiéndole cómo a partir de ahora él será el perseguido. Unos le hacen ofertas para esconderle y otros le muestran su casa. Ahora es el héroe que la gente lleva esperando largos años, aunque él no está dispuesto a serlo. Pronto comprende que solamente mediante el poder podrá evitar ser detenido por la policía.

Emiliano corteja a Josefa en su hogar, conversando con su madre y tías en una sala sofocante. Entonces visita al padre (Florenz Ames) de la chica en un almacén de mercancías que posee, quien le dice que no quiere que se case con su hija.

Emiliano se marcha del almacén disgustado y es asaltado por policías y conducido lejos. Le ponen una soga alrededor del cuello para que no pueda escaparse y es llevado fuera de la aldea arrastrado por los caballos. Eufemio y Pablo, viendo esto, siguen a Emiliano y sus captores, al mismo tiempo que numerosos peones comienzan a seguirles. Cuando Emiliano es llevado por un camino rural, los centenares de campesinos que se han sumado al cortejo, junto con sus familias, bloquean el camino.

Intimidados, los policías liberan a Emiliano, mientras Eufemio, Pablo y Fernando le ponen encima de un caballo. Antes de dejar a Emiliano, Fernando grita que es necesario cortar el cable del telégrafo.

La próxima escena muestra a Emiliano, ahora líder de su gente, inspeccionando una tropa de campesinos entrenada para la guerra que saquean un abastecimiento militar. Emiliano dice que la pólvora capturada tendrá que ser suficiente para el próximo asalto, lo que queda evidente en la próxima escena.

Las mujeres revolucionarias planean asaltar una fortaleza pequeña en el pueblo, que estaba ocupado por tropas federales bajo el mando de un capitán (Abner Biberman). El lugar está lleno de trampas y el capitán de la fortaleza revisa un terraplén para ver si los revolucionarios van a atacar nuevamente, pero únicamente ve a las mujeres de la aldea portando cestas con flores.

Repentinamente, la mujer que lleva el liderazgo de sus compañeras va hacia la fortaleza y amontonan las canastas en las puertas; cada canasta deja un reguero de pólvora detrás. Una mujer que corre hacia la pista de polvo negro con una tea en su mano es disparada pero consigue llegar y logra encender la pólvora. Después de la explosión, los hombres de Emiliano llegan rápidamente encima de sus caballos y toman la fortaleza. Después de la batalla, Emiliano hace regalos a sus valientes soldados.

El padre de Josefa ahora se siente feliz de tener a Emiliano como yerno, una vez que se ha alzado como líder de la revolución. Josefa y Emiliano se casan, pero durante su noche de bodas Emiliano está inquieto y no puede dormir. Le cuenta a su esposa Josefa que él está disgustado porque aún no sabe leer y ella promete enseñarle desde esa misma noche.

Casi tan repentinamente como comenzó, los fines de revolución se aceleran: Díaz huye de Méjico, y Madero se ha convertido en el nuevo presidente. Emiliano y algunos de sus hombres llegan a Ciudad de Méjico para hablar con el nuevo presidente y éste les comunica que le está agradecido por sus buenos servicios. Sin embargo, Emiliano insiste en que lo primero es que la tierra ha de ser devuelta a los peones. Madero le hace la promesa de que todo se hará a su debido tiempo y que ahora lo que Zapata debe hacer es dejar la guerra y vivir en la hacienda que le regala.

Con insistencia le pide a Emiliano que ordene a su ejército que deponga ya las armas, para que la autoridad civil pueda reanudar el control del gobierno. Emiliano dice a Madero que si sus hombres quedan desarmados ellos no tendrán nunca ninguna oportunidad más para conseguir que les devuelvan sus tierras. Madero le vuelve a insistir con sus promesas de bienestar para los campesinos, pero Emiliano empieza a sospechar que de alguna manera está manejado por otras personas. Sus temores se confirman cuando el general Huerta (Frank Silvera) planea asesinar a Madero y hacerse con el poder, aconsejando además que hay que asesinar rápidamente a Zapata.

Cuando los hombres de Emiliano se ponen nuevamente en pie de guerra, Madero realiza un viaje al estado de Morelos y permite de manera temporal que el nuevo líder siga conservando su ejército. Llegan unas noticias que confirman que las tropas del general Huerta han invadido el Estado. Madero le dice a Emiliano que debe ser una equivocación, que él nunca dio esas instrucciones al general Huerta. Pero cuando las noticias sobre los asesinatos masivos en Ciudad de Méjico le llegan ya no tiene dudas sobre la traición de que ha sido objeto.

Emiliano pelea contra el general Huerta y lo derrota, pero el precio que ha tenido que pagar son los cientos de campesinos que han muerto en la batalla. Pablo, que había tratado de efectuar una tregua, es considerado como un traidor por hablar con el enemigo y es ejecutado personalmente por Emiliano.

Después que el perverso régimen del general Huerta ha caído, Emiliano vuelve a Ciudad de Méjico para encontrarse con Pancho Villa (Alan Reed), quien ha ayudado para derrotar al tirano. Los dos hombres se hacen fotos sentados en el palacio nacional y en la mansión de Pancho Villa. Emiliano aprende a leer y le proponen en ese momento para presidente.

Emiliano se da cuenta que debe administrar un sistema corrompido, y cuando una delegación de campesinos llega hasta él para protestar de su situación, trata de aplacar sus ánimos con promesas que no sabe si podrá cumplir. También debe hacer frente a un peón sumamente violento llamado Hernández (Henry Silva), quien se enfrenta a Emiliano. Zapata entonces se marcha a ver a Morelos para conseguir que se devuelvan rápidamente las tierras a los campesinos, no haciendo caso de las advertencias de Fernando, que le dice que si se va ahora sus enemigos le quitarán el poder.

Una vez que consigue el respaldo de Morelos, Emiliano vuelve a Ayala, donde se entera que su propio hermano es uno de los que han robado las tierras a los campesinos y ha raptado a la esposa de un granjero. Allí se desarrolla una pelea a tiros y muere Eufemio, aunque los granjeros desean hacerle un funeral digno de un general.

La buena fortuna de Emiliano se tuerce, sus tropas son asesinadas o desertan con sus enemigos hacia Ciudad de Méjico, donde se hacen fuertes. Zapata está sólidamente resguardado en las montañas con sus hombres y pone a su esposa en una choza pequeña y mal preparada. Hernández llega y le cuenta a Emiliano que un coronel federal está listo para atacarle y que para ello dispone de un fuerte arsenal. Aunque Josefa protesta por tener que marcharse y abandonar a Zapata, Emiliano la obliga y se pone en marcha para hablar con un tal coronel Guajardo, quien dicen que es un desertor que quiere unirse a la revolución con Emiliano. La reunión tendrá lugar en una hacienda denominada Chinemeca.

Emiliano controla sus revólveres y la munición y entonces Guajardo dice que ha encontrado al precioso caballo blanco que había pertenecido a Zapata y que lo tiene fuera. Cuando Zapata abraza emocionado a su fiel caballo se da cuenta que se encuentra solo en medio de la plaza y que ha sido traicionado. El caballo también percibe la tragedia y ayudado por Emiliano sale galopando fuera del pueblo, mientras Emiliano Zapata muere acribillado por los soldados que le estaban esperando.

Su cuerpo queda tendido en la plaza del pueblo y las mujeres acuden presurosas a poner flores encima de su mutilado cuerpo. Los campesinos no quieren creer que su líder ha muerto y hacen correr la voz de que está en las montañas refugiado y para demostrarlo pasean al caballo blanco de Zapata por los pueblos.

Con un fin tan trágico, mucho más cuando sabemos que se partió de unos hechos reales y que Zapata continúa siendo una leyenda para los mejicanos, Elia Kazan sabía que lograría emocionar a los espectadores. Además, su habilidad para dirigir esta excitante biografía fue total y logró imprimir a la película una gran calidad.

Con un trabajo de cámara muy logrado y teniendo en cuenta las duras condiciones en las cuales tuvo que moverse, nos encontramos con una película sabiamente llevada, en la cual la faceta sangrienta está dulcificada y suavizada, o al menos justificada.

El trabajo de Brando fue extraordinario y por ello fue nominado al mejor actor en 1952, aunque perdió a favor de Gary Cooper en "Sólo ante el peligro", otra película con un héroe como argumento. Posteriormente, se realizó un remake en 1979 con la película "Que viva Méjico", de Sergei Eisenstein, aunque no consiguió igualar la labor de Kazan.

El verdadero Emiliano Zapata era un hombre pequeño con grandes ojos oscuros y delicadas manos, que se alzó en armas contra la tiranía de Porfirio Díaz, como hizo Pancho Villa en el Norte, y condujo un ejército a la victoria contra Díaz. Él realizó una guerra civil desde 1911 a 1919 no para conquistar Méjico, sino para conseguir que devolvieran las tierras a los campesinos de Morelos y otras provincias del Sur. Brando presenta una versión idealizada del gran líder, un Zapata histórico que tuvo una vida real mucho más sangrienta y que no dudó en ejecutar a sus enemigos en masa.

La actuación de Brando es soberbia en este papel. Él respetó la imagen mítica de Zapata y lo convirtió en una leyenda. Eufemio (Anthony Quinn), quien ganó un Oscar al Mejor Actor Secundario, está maravilloso como el duro hermano que está dispuesto a morir por una mujer. Frank Silveria como Huerta, Fay Roope como Díaz, y Joseph Wiseman como el periodista que se ve involucrado en una cruenta guerra, aportan también una buena actuación.

Pablo, quien actúa como la conciencia intelectual de Brando, aporta una interpretación menos creíble, mientras que el actor que da vida a Madero es más realista. También está adecuada su esposa Josefa, como la esposa fiel pero interesada. Finalmente, y aunque apenas sale en unas pocas escenas, Alan Reed hace un correcto papel del mítico Pancho Villa, el gran líder revolucionario.

Premios:

Nominada mejor actor: Marlon Brando.
Mejor actor secundario: Anthony Quinn.
Nominada al mejor guión e historia escrita: John Steinbeck.
Nominada a la mejor dirección artística y decoración: Lyle Wheeler, Leland Fuller, Thomas Little y Claude Carpenter.
Nominada por mejor música: Alex North.

"Julio César"
(Julius Caesar)

1953.
120 minutos.
Blanco y negro.

Metro-Goldwn-Mayer.

Productor: John Houseman.
Director: Joseph L. Mankiewicz.
Guión: Joseph L. Mankiewicz.
Basada en una historia de William Shakespeare.

Intérpretes: Marlon Brando (Marco Antonio), James Mason (Bruto), Louis Calhern (Julio César), John Gielguld (Casio), Edmond O'Brien (Casca), Greer Garson (Calpurnia) y Deborah Kerr (Portia).

Cuando el productor John Houseman y el director Joseph L. Mankiewicz decidieron filmar la obra de Shakespeare, "Julio César", ellos escogieron un reparto gallardo y distinguido al seleccionar a James Mason, John Gielgud, Louis Calhern y Edmond O'Brien, aunque también escandalizaron a la industria y a los eruditos literarios seleccionando a Marlon Brando para interpretar a Marco Antonio. Brando era entonces todavía conocido como "El Mumbler" y "El Slob", por su gran interpretación como Stanley Kowalski en "Un tranvía llamado Deseo" (1951). Posteriormente, él cambió esa opinión con una sorprendente actuación que proporcionó una producción soberbia en todos los aspectos. El resultado es indudablemente el mejor Julio César que se ha realizado en el cine. Un crítico británico dijo: "Me veo forzado a admitirlo, pero he de reconocer que Hollywood ha realizado la mejor versión de la obra de Shakespeare jamás vista en las pantallas."

En el año 44 a.C., Julio César (Louis Calhern) ha llegado a ser el dictador del Imperio Romano, pero un poder de tal magnitud provoca que Casio (John Gielgud), Casca (Edmond O'Brien) y otros planifiquen asesinarlo. Los conspiradores convencen a Bruto (James Mason), uno de los romanos más influyentes vivos, para que se una a la conspiración. Aunque es moralista y con la conciencia tranquila, así como

también sigue siendo uno de los mejores amigos del César, Bruto cree, como los otros, que la única manera para mantener a distancia la tiranía de César es matándolo.

La esposa supersticiosa de César, Calpurnia (Greer Garson), tiene un sueño en el cual ella ve a su esposo asesinado a manos de sus amigos, y ella le advierte para que no asista al Senado el próximo día, el primero de marzo. César se ríe de la pesadilla y acude al Senado. Artemidorus (Morgan Farley) advierte también a César de su inminente destino sangriento, pero César le ignora. Al pie de la estatua de Pompeya, César es cercado por los conspiradores, quienes insisten que él conteste a su pregunta acerca del poder pleno que debe emanar del Senado. Antes que César pueda dar una respuesta adecuada, Casca se acerca unos pasos con su daga, mientras grita: "¡Hablar manos, por mí!" Él clava la daga en César, como hacen Casio y otros. César rueda, mortalmente acuchillado, y mira a su buen amigo Bruto (James Mason), quien también levanta su daga. Muriendo, César dice su frase inmortal: "¿Tú también, Bruto?" Los conspiradores se dispersan mientras cae muerto.

Marco Antonio (Marlon Brando) corre al Senado para recibir el cadáver sangriento del César, pretendiendo simpatizar con los conspiradores, pero en secreto trama con Octavio César (Douglas Watson) vengar el asesinato y matar a los conspiradores. Bruto dirige un gentío enorme, explicando el asesinato, afirmando que éste se hizo para impedir una monarquía establecida por César. Él trata de ganarse a la multitud con gritos, pero cuando Marco Antonio pasionalmente enloquecido habla con la multitud, él los vuelve contra los conspiradores empezando su discurso con: "Amigos, romanos, compatriotas, escuchadme."

Bruto, Casio y los otros conspiradores huyen de Roma, formando un ejército para combatir las legiones rápidamente formadas por Marco Antonio y Octavio. Los dos ejércitos pelean en Philippi, y la batalla es ganada pronto por las fuerzas de Marco Antonio.

Al oír la derrota, Casio ordena a su esclavo que lo apuñale a muerte. Las noticias impactan en la conciencia de Bruto, quien ha tenido visiones lúgubres esa noche en forma del fantasma de César e, incapaz de soportar los remordimientos, se suicida. Marco Antonio, al recoger el cadáver de Bruto, homenajea a su honrado enemigo diciendo: "Éste era el romano más noble de todos ellos."

La dirección de Mankiewicz es soberbia, lo mismo que la actuación de Brando, Calhern como César, y Mason como Bruto. Este último se dirigió a la prensa diciendo: "Mi voto estuvo con los antimasones y según mi opinión el mejor trabajo ha sido el de Eddie O'Brien como Casca."

Además de los actores, ésta es claramente la película de Mankiewicz, con una gran experiencia acumulada en cada ángulo, con las escenas del asesinato y los movimientos correctos de la multitud, experiencia ésta que le sirvió posteriormente para manejar a los extras en "Cleopatra" en 1963.

Según Mankiewicz, mucha de la eficacia de la película se debe a su rodaje en blanco y negro, eludiendo los consejos del estudio que reclamaban el color. De esta manera, el director podría dar al filme el aspecto de un documental acerca de sucesos históricos. En su opinión, los temas dramáticos deberían rodarse siempre en blanco y negro. También añadió: "Yo nunca he visto ninguna película dramática realmente buena en color, excepto quizá 'Lo que el viento se Llevó' (1939). No se puede conseguir el dramatismo con el color. La gente sueña en blanco y negro, no en technicolor."

La producción "Julio César" fue una idea de Houseman y Mankiewicz, el productor que había trabajado con Orson Welles. Houseman, que había querido hacer la película hace años, supo que la idea estaba siendo seriamente considerada por Dore Schary, y dijo que si él no era nombrado el productor se iría de la MGM. Para convencerles les dio un presupuesto de solamente 2.700.000 dólares, lo que agradó a los estudios, que no deseaban hacer una superproducción.

El presupuesto final fue lógicamente más alto, ya que solamente la batalla de Philippi supuso ciento cincuenta mil dólares. La emboscada que se filmó en las montañas necesitó novecientos extras que debieron vivir unos días en el desfiladero Bronson, un lugar rocoso cerca de Hollywood. Los apartamentos de César se construyeron con decorados utilizados en "¿Quo Vadis?" (1951) colocados en Roma y que se embarcaron hasta los estudios de la MGM. El director italiano Vittorio De Sica visitó el conjunto de Julio César y exclamó: "¡Ah, qué realismo!"

Sorprendentemente, "Julio César" produjo unos buenos resultados económicos, especialmente debidos a la actuación inaudita de Brando como Marco Antonio, un papel primeramente destinado a Paul Scofield, y posteriormente para Leo Genn o Charlton Heston.

Brando era considerado por Mankiewicz como el ideal para ese papel, y para prepararse adecuadamente estudió los registros de voz de John Barrymore, su ídolo, y Laurence Olivier, haciendo obras de Shakespeare. Entonces Brando hizo su propia interpretación y cuando la escuchó Mankiewicz, exclamó burlándose: "Usted suena exactamente como June Allyson." Pero él trabajó febrilmente sobre su dicción y buscó ayuda en Gielgud, un actor británico que trabajó con él varios días hasta que consiguió que la frase "Amigos, romanos y compatriotas" sonara correctamente.

El trabajo salió perfectamente, ayudado por Mankiewicz, quien observó detenidamente a los extras mientras hablaba Brando y le pidió que realizara ciertas modificaciones. Gielgud estaba tan impresionado con Brando que lo invitó a Londres para actuar con él en otra obra de Shakespeare.

Brando respetuosamente declinó, diciendo que él tenía que ir a hacer natación submarina en las Bahamas.

Para el estreno en Nueva York, la MGM arrendó un teatro legítimo, el Booth, para crear el aura de una película de gran categoría. Posteriormente, los jefes de la Metro siguieron hablando de lo bien que hubiera quedado la película en color y en pantalla gigante, lo que supuso la ruptura definitiva entre ambos, ordenando Nick Schenck, que era el presidente de Loew y cabeza financiera de MGM, a Mankiewicz que saliera de su oficina con la amenaza de "Usted nunca volverá a trabajar en este negocio".

La partitura musical, o la ausencia de ella, llegó a ser una fuente de gran controversia en Hollywood. Houseman y Mankiewicz quisieron que el brillante Bernard Herrmann compusiera la partitura, pero la MGM, con su director musical Johnny Verdece, le dijeron que Herrmann costaría demasiado y que Miklos Rozsa, que estaba bajo contrato a mil quinientos dólares, haría perfectamente el trabajo. Mankiewicz dijo que Rozsa no debía tocar la partitura, que sería un desastre para la película.

No obstante, Rozsa hizo la partitura, creando una melodía inspirada en la obra de Tchaikovsky "Capriccio Italien". Ambos llegaron a un acuerdo y, aunque en los títulos aparezca Rozsa como músico, solamente le debemos una canción cantada por un muchacho en una carpa, al final del filme. La partitura completa de Rozsa se editó posteriormente en un LP.

Premios:

Nominada como mejor película: John Houseman.
Nominada por el mejor actor: Marlon Brando.
Mejor dirección artística y decoración: Cedric Gibbons, Edward C. Carfagno, Edwin B. Willis y Hugh Hunt.

Nominada a la mejor fotografía en blanco y negro: Joseph Ruttenberg.

Nominada a la mejor música: Miklos Rozsa.

"¡Salvaje!"
(The Wild One)

1953.
79 minutos.
Blanco y negro.
Columbia Pictures.

Productor: Stanley Kramer.
Director: Laslo Benedek.
Guión: John Paxton.
Basada en una historia de Frank Rooney.
Intérpretes: Marlon Brando (Johnny), Mary Murphy (Kathie), Robert Keith (Harry Bleeker), Lee Marvin (Chino), Jay C. Flippen (Sheriff Singer) y Peggy Maley (Mildred).

Basada en los sucesos de 1947 en Hollister, California, cuando una convención de cuatro mil motoristas asumieron la dirección del pueblo, esta película ofrece una imagen de pesadilla: los "Black Rebels", una asociación de motoristas con chaqueta de cuero, se convierten en una banda que aterroriza al pueblo. Su emblema es una calavera cruzada con unos pistones, con su líder (Marlon Brando) al frente.

La película nos muestra el inconformismo de unos jóvenes violentos y malhumorados a quienes no les gusta la vida americana, aunque esta idea no fue aceptada por todo el mundo y la película fue prohibida en muchos países por incitar a la violencia o al menos justificarla.

Algunas de las escenas, en especial cuando los motoristas circulan alrededor de la heroína asustada, tienen una gran fuerza y la película adquiere un momento memorable cuando una mujer pregunta a Brando: ¿Contra quiénes son ustedes rebeldes?

Con Lee Marvin (Chino) como rival de Brando para el control de la pandilla, vemos también a Robert Keith, Jay C. Flippen y Ray Teal dirigidos por Laslo Benedek en una producción de Stanley Kramer basada en la obra "The Cyclists Raid", de Frank Rooney.

"Désirée"
(Desirée)

1954.
110 minutos.
Cinemascope y Color de Luxe.
20th Century Fox.

Productor: Julian Blaustein.
Director: Henry Koster.
Guión: Daniel Taradash.
Basada en una novela de Annemarie Selinko.
Intérpretes: Marlon Brando (Napoleón Bonaparte), Jean Simmons (Désirée Clary), Merle Oberon (Josephine), Michael Rennie (Bernadotte), Cameron Mitchell (Joseph Bonaparte) y Elizabeth Sellars (Julie).

Podríamos considerar a este filme como un ridículo y simple disfraz de diez toneladas de pelusa romántica, con algunas complicadas escenas agradables. Con su nariz reconstruida y su pelo enyesado y rematado con un increíble rizo frontal, Marlon Brando es un Napoleón divertido. Habla con su habitual cuchicheo ronco, y su dicción parece una parodia de lo que debería ser la pronunciación de un inglés; afortunadamente, el doblaje en España nos impidió escuchar esta anomalía.

Jean Simmons es la pensativa Désirée por la que suspira Napoleón. Las dos estrellas juegan juntas con un encanto misterioso e indudablemente ellos se dieron cuenta pronto que la película no era seria, que se trataba de una broma de alguien, y trataron de pasar el tiempo bromeando entre ellos. Brando provoca algunas carcajadas entre el público cuando su Napoleón eleva a sus hermanas al rango real golpeándolas sobre sus duras cabezas. También le encontramos a él bastante cómico cuando coge la corona y se corona a sí mismo.

La película fue rechazada en principio por Brando, del mismo modo que rechazó la interpretación de "Sinuhé", pero dos negativas eran demasiado para la Fox y se vio en la obligación de rodar Désirée. Sus otros compañeros de reparto fueron una aceptable Merle Oberon como Josephine, Michael Rennie como Bernadotte, Elizabeth Sellars, Cathleen Nesbitt, Evelyn Varden, Isobel Elsom, John Hoyt, Carolyn Jones y Cameron Mitchell.

Premios:

Nominada a la mejor dirección artística y decoración: Lyle Wheeler, Leland Fuller, Walter M. Scott y Paul S. Fox.

Nominada por su vestuario: Charles LeMaire y Rene Hubert

"La Ley del Silencio"
(On the Waterfront)

1954.
108 minutos.
Columbia Pictures.
Blanco y negro.

Productor: Sam Spiegel.

Director: Elia Kazan.

Guión: Budd Schulberg.

Basada en una historia sugerida para una serie de artículos de Malcolm Johnson.

Fotografía: Boris Kaufman.

Intérpretes: Marlon Brando (Terry Malloy), Karl Malden (padre Barry), Lee J. Cobb (Johnny Friendly), Rod Steiger (Charley Malloy), Pat Henning ("Kayo" Dugan) y Eva María Saint (Edie Doyle).

Un recorrido poderoso por la fuerza de su director Elia Kazan y el actor Marlon Brando. En "La Ley del Silencio" asistimos a una tensa y dramática historia sobre la corrupción en los muelles de Nueva York. Es también la historia de la pugna que mantienen los trabajadores para conseguir una vivienda y del poder imponente que los sindicatos ejercen, hasta el punto de controlar a empresas y trabajadores.

Los métodos mafiosos de Johnny Friendly (Lee J. Cobb), como el jefe del sindicato local de estibadores, y Charley Malloy (Rod Steiger) su abogado tramposo, consiguen el control total de los muelles. El hermano de Charley, Terry Malloy (Marlon Brando), un ex boxeador, camina por los muelles y realiza encargos para Johnny, quien trata de ayudarle a salir adelante.

Charley habla con Terry para pedirle que hable con un trabajador del sindicato que está en la terraza de un edificio acorralado por ellos cuando se han enterado que iba a realizar el soplo a la policía sobre sus actividades ilícitas. Cuando Terry llega arriba ve cómo dos matones de Johnny le tiran a la calle y provocan su muerte. Cuando Terry le cuenta a Johnny el acto criminal se da cuenta que tratan de involucrarle a él en el asesinato. Allí conoce al asesino, un peso pesado conocido como "Dos toneladas" Truck (Tony Galento), quien dice: "El canario sabría cantar pero no sabía volar."

Después Terry encuentra a la guapa Edie Doyle (Eva María Saint), la hermana del hombre asesinado, y comienza a sentirse responsable por la muerte. Ella le presenta al padre Barry (Karl Malden), a quien Terry cuenta que el hombre muerto fue asesinado porque él iba a denunciar las estafas de Johnny y sus secuaces. El sacerdote entonces exhorta a Terry para que busque más datos y testigos que puedan meter en la cárcel a los pandilleros del muelle.

Otro trabajador del muelle, "Kayo" Dugan (Pat Henning), colabora con la comisión contra el crimen y fanfarronea a gritos que él atrapará a Johnny. Pero mientras Kayo trabaja en el amarre de un buque, una caja enorme cae "accidentalmente" sobre él y le mata.

El padre Barry auxilia a Kayo y le administra los últimos sacramentos, y se dirige a los estibadores para que acudan a las autoridades a contarles lo que saben sobre la corrupción de los sindicalistas. El criminal Tillio (Tami Mauriello) comienza a gritar al sacerdote y cuando Tillio tira una lata que golpea al padre Barry, Terry da unos pasos adelante y advierte a los secuaces que se detengan. El sacerdote continúa hablando a los trabajadores, con la cabeza sangrando y sus ropas ensuciadas por el alimento podrido que le han lanzado. Tillio vuelve a lanzar otro objeto y Terry salta hacia él, golpeándole con tal fuerza que le deja inconsciente.

Luego, Terry cae enamorado de Edie, y el padre Barry les pide que cooperen con Glover (Leif Erickson) y otros miembros de la comisión contra el crimen. Al ver a Terry deambular, Johnny ordena que Charley consiga que su hermano se aparte o lamentará las consecuencias.

Charley lleva a Terry de paseo en un taxi conducido por un secuaz de Johnny (Persoff), y los dos tienen una charla fraternal. Charley dice a Terry que va a conseguir un nuevo trabajo, con bastante sueldo y muy bien tratado, pero él debe guardar silencio y no hablar a la comisión contra el crimen.

Terry está ahora completamente desilusionado con su hermano mayor. Charley tira su revólver sobre Terry e insiste que él haga lo que le está pidiendo, pero Terry tira el revólver lejos con gran tristeza.

Charley se da cuenta de lo que ha hecho y entonces recuerda nostálgico la carrera fracasada de Terry como boxeador, y le dice a Brando que podría haber sido otro Billy Conn en el ring.

Charley decide contar a Johnny que él no ha podido encontrar a Terry y entonces entrega a su hermano el revólver, cuando se marcha del taxi. El conductor lo ha escuchado todo, y lleva a Charley al garaje donde lo secuaces de Johnny esperan.

Terry mientras tanto corre a buscar a Edie, pero cuando ellos comienzan a hacer el amor, los secuaces de Johnny le telefonean desde la calle: "Tu hermano está aquí, y quiere verte." Terry baja al callejón y allí ve a Charley, colgando de un gancho, muerto, lleno de agujeros de bala. Suavemente, él quita el cuerpo del gancho y le pide a Edie que cuide el cuerpo de su hermano, mientras él va a la sede de Johnny. Allí en la bahía retiene a varios secuaces con el revólver que Charley le dio, pero ellos escapan cuando el padre Barry llega y habla a Terry para que denuncie el crimen de Johnny y acabe así con el dominio sobre los trabajadores del muelle.

Ese día, Terry va ante la comisión del crimen y testifica contra Johnny y sus criminales. Johnny dice a Terry que él es un hombre muerto. Al día siguiente todos los trabajadores consiguen un trabajo menos Terry, quien provoca a Johnny para que pelee con él, pero es golpeado por sus secuaces. En ese momento los demás trabajadores dicen que no irán a trabajar sin Terry. Sosteniéndose en pie como puede, llega el primero hasta el lugar del trabajo, mientras le siguen los demás trabajadores conscientes de que ese día han conseguido su victoria y son libres.

Las interpretaciones en "La ley del Silencio" son espectaculares, especialmente Brando en su papel de un ex boxeador que arriesga su vida por sus principios. El diálogo realista es poético en su simplicidad, y el ambiente sucio de los muelles está bien mostrado. Kazan coloca cada escena con el adecuado suspense, evocando un mundo gris donde la supervivencia es muy difícil.

Cobb es un villano, que ejercita su poder hasta el final, mofándose con su sonrisa y gritando a todos para asustarles, muchos de ellos antiguos boxeadores con fuertes cicatrices en el rostro. Saint es una isla de cordura y decencia, como Malden, quien realiza uno de los mejores trabajos de su vida. El discurso en el buque es una denuncia contra la maldad.

La película muestra una experiencia mundana desagradable, violenta y sangrienta, con una adecuada fotografía documental de Boris Kaufman.

En su momento fue acusada de antinorteamericana y denunciada por líderes sindicales, por lo que fue objeto de controversia durante bastante tiempo, aunque ahora se la ve con bastante más imparcialidad. Budd Schulberg basó el guión en una serie fascinante y heroica de artículos escritos por Malcolm Johnson para *El Sol* de Nueva York. Johnson desenterró en su investigación una organización criminal y luego la publicó en veinticuatro partes que sobresaltaron a Norteamérica. La serie proporcionó a Johnson un premio Pulitzer, por su forma de describir en forma detallada las matanzas, sobornos, comisiones ocultas, robos, perturbaciones y extorsiones que eran habituales en Nueva York.

Cuando Kazan asumió la dirección del proyecto, él había caído en desagrado con Hollywood, principalmente porque había colaborado con el Comité Estadounidense de Actividades Antiamericanas (HUAC), contra Schulberg. Esta película, sin embargo, reafirma el maravilloso talento de Kazan.

La primera elección de Kazan para el papel del ex boxeador era Brando, pero el actor no quiso realizarla, por lo que fue ofrecida a Frank Sinatra, quien acababa de realizar una memorable reaparición en "De aquí a la Eternidad" (1953) y era uno de los actores más comerciales. Antes de cerrar el contrato Brando decidió interpretar a Terry Malloy, lo que motivó las quejas de Sinatra.

Brando consiguió un Oscar, aunque sería la última película que haría con Kazan a pesar que el director le ofreció repetidas veces volver a trabajar juntos.

Cuando los estudios Cohn vieron la película en un pase privado, con Kazan allí, y escucharon la secuencia en donde Brando dice al sacerdote Malden que se vaya al infierno, Cohn dijo a Kazan: "El muchacho va a tener un problema con la Breen Oficina" (la entonces oficina de censura de Hollywood), pero nada ocurrió.

Aunque Harry Cohn había profetizado la fatalidad para "La Ley del Silencio", una película que costó únicamente 902.000 dólares, el filme fue un gran éxito, y superó los nueve y medio millones de recaudación. Además, fue propuesta para ocho premios de la Academia en 1954.

Premios:

Le concedieron ocho premios:

Mejor actor: Marlon Brando.
Nominada al mejor actor secundario: Lee J. Cobb.
Nominada al mejor actor secundario: Karl Malden.
Nominada al mejor actor secundario: Rod Steiger.
Actriz secundaria: Eva María Saint.
Director: Elia Kazan.
Guión e historia: Budd Schulberg.
Dirección artística y decoración: Richard Day.
Mejor fotografía: Boris Kaufman.

Film Editor: Gene Milford.
Nominada a la mejor música: Leonard Bernstein.

"Ellos y ellas"
(Guys and Dolls)

1955.
150 minutos.
Color.
Metro-Goldwyn-Mayer.

Productor: Samuel Goldwyn.
Director: Joseph L. Mankiewicz.
Guión: Joseph L. Mankiewicz.
A partir de la obra de Jo Sterling y Abe Burrows.
Basada en el relato de Damon Runyon.
Composición musical y letra de las canciones: Frank Loesser.
Dirección musical: Jay Blackton.
Intérpretes: Marlon Brando (Sky Masterson), Jean Simmons (Sarah Brown), Frank Sinatra (Nathan Detroit), Vivan Blaine (Miss Adelaide), Robert Keith (teniente Brannigan) y Stubby Kaye (Nicely-Nicely Johnson).

El gran Samuel Goldwyn quiso hacer en película la versión del musical de Broadway que Jo Sterling y Abe Burrows hicieron desde las historias adorables de Damon Runyon, con una partitura de Frank Loesser. El director de escena Joseph L. Mankiewicz no tenía ninguna experiencia musical, lo mismo que las actrices Jean Simmons y el actor Marlon Brando, aunque todos pensaron que era cuestión de hacerles cantar y bailar con un profesor. La obra había estado en los escenarios de Broadway durante tres años, más otros tres en Inglaterra, pero la película consiguió arruinar su reputación.

La crítica

"Brando es la verdadera sorpresa. Realmente por primera vez él hace un papel mixto de niño bueno y amante encantador."

"Brando hace una interpretación adecuada en esta comedia musical como un héroe, pero ahora es un héroe diferente, que nos motiva a la sonrisa, aunque de cuando en cuando no podemos evitar verle rugir como un tigre."

"En su papel de Sky Masterson, es la gran sorpresa de la película: su habilidad cantando no es mucha, pero parece haberlo hecho toda la vida y su interpretación como tahúr del juego está acertada, aunque quizá le falta una pizca de Hamlet en su papel."

Premios:

Nominada a la mejor dirección artística y decoración: Oliver Smith, Joseph C. Wright y Howard Bristol.
Nominada a la mejor fotografía: Harry Stradling, Sr.
Nominada al mejor vestuario: Irene Sharaff.
Nominada a la mejor música: Jay Blackton y Cyril J. Mockridge

"La casa de té de la Luna de Agosto"
(The Teahouse of the August Moon)

1956.
123 minutos.
Cinemascope y Metro Color.
Producida por: MGM.
Distribuida por: Metro-Goldwyn-Mayer.

Productor: Jack Cummings.

Director: Daniel Mann.

Guión: John Patrick.

Basada en una novela de Vern J. Sneider.

Intérpretes: Marlon Brando (Sakini), Glenn Ford (capitán Fisby), Machiko Kyo (Lotus Blossom), Eddie Albert (capitán McLean), Paul Ford (coronel Purdy), Jun Negami (señor Seiko) y Nijiko Kiyokawa (señorita Higa Jiga).

John Patrick ganador de un Premio Pulitzer, adaptó la novela de Vern J. Sneider y la convirtió en una fantasía antojadiza sobre la necedad de los intentos de la burocracia militar estadounidense de imponer sus formas de conducta en las ciudades ocupadas, en este caso Okinawa. Mucha gente pensaba que era una buena oportunidad, pero esta versión de la MGM, pobremente dirigida por Daniel Mann, es una equivocación casi total. Todos los estadounidenses de Okinawa parecen pueriles y estúpidos, y los alaridos y las risas de las mujeres nativas son suficientes para sacar al espectador del cine. Marlon Brando trató de interpretar a Sakini con cierta dignidad, y por ello vemos cómo él disfruta con un acento loco, sonriendo infantilmente, flexionando la cintura cientos de veces y haciendo movimientos raros con sus piernas. Él es el menos dañino y hasta podríamos considerarle genial en su papel, aunque el personaje picaresco no le permite demostrar que es un buen actor.

La producción entera es tan chismosa y rítmica que es duro ver a tantos buenos profesionales del cine haciendo algo tan desastroso. Cuando el capitán estadounidense trata de convertir la aldea de Okinawa en una limpia y ordenada comunidad yanqui, solamente parece lograrlo haciendo muecas, moviéndose nervioso y tartamudeado tontamente. Es el tipo de papel y el tipo de actuación que hace que usted odie a Glenn Ford. Junto a él están también Machiko Kyo, Paul Ford, Eddie Albert y Henry Morgan. La adaptación está hecha por el mismo dramaturgo.

"Sayonara"
(Sayonara)

1957.
147 minutos.
Technicolor y Technirama.
Warner Bros.

Productor: William Goetz.
Director: Joshua Logan.
Guión: Paul Osborn.
Basada en una novela de James A. Michener .
Intérpretes: Marlon Brando (mayor Lloyd Gruver), Ricardo Montalbán (Nakamura), Red Buttons (Joe Kelly), Patricia Owens (Eileen Webster), Martha Scott (señor Webster) y James Garner (capitán Mike Bailey).

El romántico premio Pulitzer James Michener es el autor de esta historia anclada durante la guerra coreana. El mayor Gruver (Brando) está libre de servicio en la base de Kobe, mientras realiza los preparativos para casarse con su novia Eileen (Patricia Owens). Pero un día conoce a una nativa llamada Hana-Ogi (Miiko Taka) y se enamora de ella.

La película está correctamente interpretada y podemos ver a un genial Red Buttons (ganador de un Oscar) y a Ricardo Montalbán ejerciendo como un consumado japonés.

La canción que da origen al título de la película es de Irving Berlín.

Premios:

Nominada a la mejor película: William Goetz.
Nominada al mejor actor: Marlon Brando.
Mejor actor secundario: Red Buttons.
Mejor actriz secundaria: Miyoshi Umeki.

Nominada al mejor director: Joshua Logan.

Nominada al mejor guión: Paul Osborn (basada en el material de Another Medium).

Mejor dirección artística: Ted Haworth y Robert Priestley.

Nominada a la mejor fotografía: Ellsworth Fredericks.

Nominada por Film Editor: Arthur P. Schmidt y Philip W. Anderson.

Al mejor sonido: George Groves (Warner Bros. Estudio Dpto. de Sonido).

"El baile de los malditos"
(The Young Lions)

1958.
167 minutos.
Blanco y negro.
Cinemascope.
20th Century Fox.

Productor: Al Lichtman.
Director: Edward Dmytryk.
Guión: Edward Anhalt.
Basada en una novela de Irwin Shaw.
Música: Hugo Friedhofer.
Intérpretes: Marlon Brando (Christian Diestl), Montgomery Clift (Noah Ackerman), Dean Martin (Michael Whiteacre), Hope Lange (Hope Plowman), Bárbara Rush (Margaret Freemantle) y Lee Van Cleef (sargento Rickett).

Aunque a primera vista pudiera parecer que se trata de una película bélica, con escenas habituales de muerte y destrucción, la finalidad para su rodaje no era ésa, sino mostrarnos una historia de amor, sexo y humor, conjuntamente con la tesis del nazismo y su arraigo entre los soldados alemanes.

Marlon Brando hace el papel de un guapo instructor de esquí alemán, que acoge con entusiasmo las doctrinas nazis, quizá porque al ser rubio se identifica con su raza aria. Montgomery Clift es un judío estadounidense romántico que acompaña a su enfermo padre hasta su muerte, y Dean Martin como un playboy de Broadway. Los tres se encuentran antes de la Segunda Guerra Mundial y entonces aparecen las primeras escenas violentas entre judíos y alemanes, especialmente cuando el avance del imperio de Hitler empieza a ser notorio en África.

Dirigida por Edward Dmytryk y adaptada por Edward Anhalt desde la novela de Irwin Shaw, la película es episódica y ligeramente pretenciosa, como una comedia musical en época de guerra. Maximilian Schell interpreta un significativo oficial nazi, en contraste con el idealista Brando, atormentado y sin saber cuál es el camino a seguir militarmente. Hope Lange, May Britt y Bárbara Rush están entre las guapas mujeres que los enamoran. También vemos a un joven Lee Van Cleef.

Premios:

Nominada a la mejor fotografía en blanco y negro: Joseph P. MacDonald.
Nominada a la mejor música: Hugo Friedhofer.
Nominada al mejor sonido: Carl Faulkner.

"Piel de serpiente"
(The Fugitive Kind)

1960.
135 minutos.
Blanco y negro.

Productor: Martin Jurow y Richard Shepherd.

Director: Sidney Lumet.

Guión: Meade Roberts y Tennessee Williams.

Basada en una obra de teatro: "Orpheus Descending", de Williams.

Intérpretes: Marlon Brando (Val Xavier), Anna Magnani (señora Torrance), Joanne Woodward (Carol Cutrere), Maureen Satapleton (Vee Talbott) y Víctor Jory (Jabe Torrance).

Basada en la desigual obra "Orpheus Descending" de Tennessee Williams, la cual había permanecido en Broadway muy pocas semanas, y a su vez inspirada en "Battle of Angeles", se decidió llevarla al cine siempre y cuando se contase con los dos actores que Williams tenía en mente como imprescindibles: Brando y Anna Magnani.

Aunque con reminiscencias del mito de Orfeo, en el cual el protagonista baja a los infiernos para rescatar a Eurídice, ahora se trata de un músico vagabundo (Brando) que llega a un pueblo llamado Profundo Sur, y allí conoce a una fea y envejecida mujer de nombre Torrance, esposa de un italiano moribundo. Pronto el músico se ve asediado por dos mujeres, una por ninfómana y otra porque se le acaba a pasos agigantados la belleza.

La película no tuvo demasiado éxito comercial y eso que contaba con extraordinarios actores, una buena dirección y una más que aceptable banda sonora.

La crítica

"El gran amor entre los protagonistas no logra entusiasmar al público, que no acaba de entender que personas tan dispares se puedan realmente enamorar."

"Brando aporta las diferentes formas de amar, joven y

viejo, apariencia que podemos considerar como legendaria en él, mucho más ahora que trata de llevar el clásico mito de Orfeo a la vida moderna. Sin embargo, el resultado final es confuso y se nos antoja como poco elaborado, quizá porque se pensaba que la presencia de tan buenos actores bastaría para salvar el filme.

En general, la presencia de Brando nos proporciona un personaje misterioso y conmovedor, aunque nos deja percibir que no quiso trabajar con su propia intensidad personal."

"El rostro impenetrable"
(One-Eyed Jacks)

1961.
141 minutos.
Technicolor.
Paramount Pictures.

Productor: Frank P. Rosenberg.
Director: Marlon Brando.
Guión: Guy Trosper y Calder Willingham.
Basado en la novela "The Authentic Death of Hendry Jones", de Charles Neider.
Intérpretes: Marlon Brando (Río), Karl Malden (Dad Longworth), Katy Jurado (María), Pina Pellicer (Louisa), Slim Pickens (Lon) y Ben Johnson (Bob Amory).

Marlon Brando, el gran imprevisible, es en esta ocasión la estrella y el director de este western, en el cual hace el papel de un bandido cuyo único propósito en la vida está en matar a su socio anterior. En el papel de la presunta víctima está Karl Malden, un hombre que está deseando dejar de cometer fechorías y retirarse a descansar. Pero después de un robo a un banco, Dad (Karl Malden) deja abandonado a Río

(Brando) a merced de los federales, quien es apresado y encerrado en prisión durante cinco años. Cuando por fin es puesto en libertad, solamente desea encontrar a Dad para matarle.

Katy Jurado y Pina Pellicer, una joven y guapa actriz mejicana, dan cobijo y confortan a los dos enemigos. También están acertados Slim Pickens, Timothy Carey, Ben Johnson y Elisha Cocina, Jr. La película es de calidad variable: tiene alguna grandeza visual y también tiene algunas raras escenas brutales. No está aclarado por qué Brando hizo esta fantasía de revancha peculiarmente masoquista, o si él esperó que el resultado final fuera bastante diferente del real.

Su primera y única incursión en el cine como director estuvo bastante lograda, aunque comercialmente no le aportó ningún beneficio.

Premios:

Nominada por mejor fotografía en color: Charles B. Lang, Jr.

"Rebelión a bordo"
(Mutiny on the Bounty)

1962.
179 minutos.
Technicolor y Ultra Panavisión.
MGM.

Productor: Aaron Rosenberg.
Director: Lewis Milestone.
Guión: Charles Lederer.
Basado en una novela de Charles Nordhoff y James Norman Hall.

Música: Bronislau Kaper..

Intérpretes: Marlon Brando (Fletcher Christian), Trevor Howard (capitán William Bligh), Richard Harris (John Mills), Hugh Griffith (Alexander Smith) y Richard Haydn (William Brown).

Interesante remake del clásico de 1935 interpretado por Clark Gable y Charles Laughton, lo que dejaba el listón muy alto para ser, al menos, igualado. Pero Brando no era un actor cobarde y decidió afrontar el personaje de Christian, aportando por supuesto su propia personalidad. La película tuvo un rodaje largo, complicado y costoso, disparándose casi el doble el presupuesto inicial. Aunque en el momento de su estreno apenas si consiguió recuperar el dinero invertido, con el paso de los años lo superó con creces.

La crítica

"Todos los actores están correctos en su trabajo, tanto Trevor Howard en su papel de severo y despiadado capitán, como Brando en su papel de primer oficial. El enfrentamiento de ambos es casi inmediato, aunque hoy en día los ademanes amanerados de Brando, que debían mostrar solamente una exquisita educación, se nos hacen ridículos."

"En su interés por mostrarse refinado y culto, Brando queda incapacitado por el personaje, parcialmente por el acento, su forma de vestir y andar, que nunca llega a tener realmente el aspecto de un funcionario naval británico del siglo dieciocho. No obstante, Brando, por la fuerza de su fuerte personalidad, hace una buena interpretación. Entre él y el carácter más brutal de Howard, una pareja totalmente antagonista, discurre la película con una cierta tensión dramática, dulcificada con el romance entre Tarita y Brando, romance que no solamente fue ficticio."

Premios:

Nominada a la mejor película: Aaron Rosenberg.

Nominada a la mejor dirección artística y decoración en color: George W. Davis, Joseph McMillan Johnson, Henry Grace y Hugh Hunt.

Nominada a la mejor fotografía en color: Robert L. Surtees.

Nominada al mejor Film Editor: John McSweeney, Jr.

Nominada a la mejor música: Bronislau Kaper.

Nominada al mejor sonido: Bronislau Kaper y Paul Francis Webster.

Nominada a los mejores efectos especiales: A. Arnold Gillespie y Milo Lory.

"Su excelencia el embajador"
(The Ugly American)

1963.
120 minutos.
Eastman Color.
Universal Pictures.

Productor: George Englund.
Director: George Englund y George H. Englund.
Guión: Stewart Stern.
Basado en una novela de William J. Lederer y Eugene Burdick.
*Intérpretes***:** Marlon Brando (Harrison Carter MacWhite), Eiji Okada (Deong), Sandra Church (Marion MacWhite), Pat Hingle (Homer Atkins), Arthur Hill (Grainger) y Jocelin Brando (Emma Atkins).

Este intento de insistir en algunas de las peculiaridades de la política extranjera estadounidense en Asia es único y marginal. El director, George Englund, tiene un mal estilo, pero de cualquier manera la película es divertida.

El argumento está situado en un país asiático mítico llamado Sarkhan, dividido por disputas partidistas y con un conflicto añadido a causa de la asistencia estadounidense y la influencia comunista. Su estrella, Marlon Brando, claramente disfruta la broma de su interpretación como un estadista apropiado de carrera en un bobo traje, quien además practica deportes y lleva un pulcro y pequeño bigote. Él es el nuevo embajador norteamericano en Sarkhan, y debe llegar a ciertos acuerdos con el primer ministro, Kwen Sai, cuyo papel es interpretado por el extraordinario Kukrit Pramoj, quien en realidad era un editor de un periódico tailandés, y que posteriormente llegó a ser realmente el principal Tai. Él fue contratado inicialmente como el asesor técnico de la película, pero Brando y Englund le persuadieron para hacer de actor, labor que obviamente hizo de una manera muy convincente.

"Dos seductores"
(Bedtime Story)

1964.
99 minutos.
Eastman Color.
Universal Pictures.

Productor: Stanley Shapiro.
Director: Ralph Levy.
Guión: Stanley Shapiro y Paul Henning.
Intérpretes: Marlon Brando (Freddy), David Niven (Lawrence), Shirley Jones (Janet), Dody Goodman (Fanny Eubank), Aram Stephan (Andre), Parley Baer (coronel Williams).

El argumento nos cuenta la historia de dos estafadores, Brando y Niven; uno de ellos se hace pasar por un príncipe europeo, mientras el otro se dice oficial de las fuerzas aéreas. Ambos competirán después por el amor de Shirley Jones.

La crítica

"Profundamente alejada de la línea del humor erótico que tanto proliferó en las comedias de Hollywood, esta película es casi una historia de amor de colegiales para el público de hoy.

Volver a mirar esta película después de más de treinta años de su primera exhibición, supone ciertamente un revulsivo contra el mal gusto. Observada bajo un prisma de entretenimiento, candidez y nostalgia, posiblemente sea del agrado de la mayoría. Quien espere algo más viendo a Marlon Brando en una comedia en la cual trata de hacernos reír, se decepcionará. Ciertamente, el cine ha cambiado mucho desde entonces."

"Morituri"
(The Saboteur-Code Name Morituri)

1965.
123 minutos.
Blanco y negro.
20th Century Fox.

Productor: Aaron Rosenberg.
Director: Bernhard Wicki.
Guión: Daniel Taradash.
Basada en una novela de Werne Joerg Luedecke.
Música: Jerry Goldsmith.
Intérpretes: Marlon Brando (Robert Crain), Yul Brynner (capitán Muller), Janet Margolin (Esther), Trevor Howard

(coronel Statter), Martin Benrath (Kruse) y Hans Christian Blech (Donkeyman).

Desarrollada mayormente sobre un buque, del mismo modo que "Rebelión a bordo", y contando además con el mismo productor, la película mantiene sin embargo profundas diferencias. El argumento nos habla de un capitán (Yul Brynner) de un navío mercante alemán que debe llevar un cargamento de caucho a un lugar de Francia, en ese momento ocupada por los nazis. En otro lugar, un civil es obligado por el servicio de inteligencia británico para que se haga pasar por un oficial de las SS y se incorpore con este cargo en el buque, cuyo destino final deberá ser Inglaterra o su hundimiento si es capturado.

La crítica

"Marlon Brando representa un estupendo papel, mucho más interesante que los últimos que ha realizado.

En lugar de interpretar a un hombre normal, él actúa con un buen acento alemán lleno de balbuceos y silbidos, un acento mucho más divertido que cualquiera de los que él mismo ha desarrollado en 'Napoleón', '¡Viva Zapata!' o 'Julio César', aunque hubo un crítico que dijo que en realidad se parecía más a Peter Sellers."

"Brando tenía una deuda consigo mismo y con el cine, y aunque la película no sea todo lo extraordinaria que esperábamos, solamente por su interpretación merece la pena verla. Él nos demuestra una vez más que es un gran actor en cualquier papel, incluso cuando debe hacer una escena ridícula. Sabe moverse adecuadamente entre los diversos directores, se adapta a cualquier guión y, finalmente, lo modifica todo para mejorarlo. Que usted aplauda o no a 'Morituri' es cosa suya."

"Brando muestra su extraordinaria calidad como actor en esta película, lo mismo que desde hace diez años, y con un acento alemán perfecto y una sonrisa sedosa, nos deja un estilo de comedia irónica y la oportunidad milagrosa de volver a verle como en sus mejores tiempos."

Premios:

Nominada a la mejor fotografía en blanco y negro: Conrad L. Hall.

Nominada al mejor vestuario: Moss Mabry.

"La jauría humana"
(The Chase)

1966.
135 minutos.
Color.
Columbia Pictures.

Productor: Sam Spiegel.
Director: Arthur Penn.
Guión: Lillian Hellman.
Basada en una novela de Horton Foote.
Música: John Barry.
Intérpretes: Marlon Brando (sheriff Calder), Jane Fonda (Anna Reeves), Robert Redford (Bubber Reeves), E. G. Marshall (Val Rogers), Angie Dickinson (Ruby Calder), Janice Rule (Emily Stewart) y Miriam Hopkins (Mrs. Reeves).

Vemos a Marlon Brando como el sheriff de un corrompido y sangriento pueblo de Tejas en la mítica América liberal y de fantasías sadomasoquistas.

Lillian Hellman escribió el guión (desde un material de

Horton Foote) y Arthur Peen asumió la dirección. La historia sumamente enredada nos habla de un hombre que es acusado erróneamente de un asesinato y enviado a prisión, mientras el verdadero asesino, un íntimo amigo suyo, se lía con su esposa mientras está en prisión. Cuando el regreso de Bubber (Robert Redford) es ya un hecho, el pueblo entero está dividido y mientras para unos es un pobre infeliz que regresa para ver a su mujer (Jane Fonda) en brazos de otro hombre, para otros es solamente un delincuente que no tiene cabida en el pueblo.

La única persona honrada en el pueblo parece ser el sheriff Calder (Brando) y su mujer Rudy (Angie Dickinson), pero deben luchar contra los dos caciques del pueblo, Stewart y Fuller (Robert Duvall y Richard Bradford).

El productor, Sam Spiegel, dijo que trató de sacar a la luz la corrupción que aún existía en Norteamérica, aunque también mencionó cierto paralelismo con "La Dolce Vita". Lillian Hellman, por el contrario, expresó públicamente su descontento con los resultados y reconoció que el director, Arthur Penn, no tuvo control artístico sobre la producción. Pero la película hace alusión a muchos grupos políticos y sociales, por lo que es digna de ver, especialmente en Europa.

Brando estuvo adecuadamente respaldado por Jane Fonda, Robert Redford, Angie Dickinson y E. G. Marshall.

"Sierra prohibida"
(The Appaloosa)

1966.
98 minutos.
Technicolor.
Universal Pictures.

Productor: Alan Miller.
Director: Sidney J. Furie.
Guión: James Bridges y Roland Kibbee.
Basada en una novela de Robert MacLeod.
Intérpretes: Marlon Brando (Matt Fletcher), Anjanette Comer (Trini), John Saxon (Chuy Medina), Emilio Fernández (Lázaro), Alex Montoya (Squint Eye) y Miriam Colon (Ana).

Marlon Brando es un vaquero hosco, una persona inadaptada que, a lo largo de 1870, entra en un pueblo fronterizo de Méjico y allí se dirige a la iglesia para hacer penitencia por sus pecados. Su caballo, perteneciente a una valiosa raza, es hurtado por una chica (Anjanette Comer), quien trata de conseguir alejarse de un bandido sádico (John Saxon). Una vez que Matt (Brando) ha recuperado su caballo, debe hacer frente al malvado novio (John Saxon) que quiere robarle el caballo. Herido de gravedad por la picadura de un escorpión, es auxiliado por la chica, enamorándose ambos. Posteriormente deberán hacer frente de nuevo al bandido.

El director, Sidney J. Furie, se abandonó en su labor y permitió diversos excesos en ciertos detalles, como botellas de tequila, dientes rotos y ojos inyectados en sangre.

"La Condesa de Hong-Kong"
(A Countess From Hong-Kong)

1967.
108 minutos.
Technicolor.
Universal Pictures.

Productor: Jerome Epstein.
Director: Charles Chaplin.
Escrita por Charles Chaplin.
Música: Charles Chaplin.

Intérpretes: Marlon Brando (Ogden Mears), Sophia Loren (Natasha), Sydney Chaplin (Harvey Crothers), Tippi Hedren (Martha), Patrick Cargill (Hudson) y Margaret Rutherford (señorita Gaulswallow).

El director, escritor, compositor y con frecuencia actor Charles Chaplin intenta volver a sus antiguos éxitos con una comedia romántica bastante anticuada, aunque digna de verse por ser la obra póstuma de un genio del cine. Sophia Loren hace lo que puede como polizón de un barco, alojada en el camarote de un diplomático, Brando.

La crítica

"La Condesa de Hong-Kong" es probablemente la mejor película realizada por un director de setenta y siete años, aunque desdichadamente es la peor de toda la obra de Chaplin."

"El romance, el corazón de la historia, es manejado por Brando y Loren con mucha pasión, como si fuera pan, amor y fantasía, aunque dada la hostilidad real entre ellos debieron hacer un gran esfuerzo por evitar morderse en lugar de besarse."

"Marlon Brando, cuyo intento por retratar la riqueza moral de un diplomático de Estados Unidos le obliga a sobreactuar, nos prueba una vez más que sabe actuar.

En muchas escenas de la película, Brando parece moverse de manera extraña, sin tener en cuenta al resto de los actores que están a su lado. Su enfoque del drama que vive la chica es complejo y ambiguo, basado en una paradoja privada. Él aporta una forma interpretativa extravagante y en ocasiones muy técnica, aunque quizá estuviera tratando de parecer natural dentro de una historia que hacía aguas.

Con un papel en el que debe ser romántico con una actriz

que aborrecía, el resultado es una interpretación lenta, masoquista, subjetiva y sofisticada."

"Reflejos de un ojo dorado"
(Reflections in a Golden Eye)

1967.
108 minutos.
Technicolor.
Warner Bros-Seven Arts.

Productor: Ray Stark.
Director: John Huston.
Guión: Chapman Mortimer y Gladys Hill.
Basada en una novela de Carson McCullers.
Intérpretes: Elizabeth Taylor (Leonora Penderton), Marlon Brando (comandante Weldon Penderton), Brian Keith (teniente coronel Morris Langdon), Julie Harris (Alison Langdon), David Fox (Anacleto) y Gordon Mitchell (sargento de caballerizas).

John Huston dirigió esta versión sensual e intensiva de la novela corta de Carson McCullers de 1941, con un estilo visual que sugiere las pinturas hechas partiendo de fotografías. La película no encuentra una manera correcta para darnos la textura emocional entre los diversos personajes y su dependencia del libro estropea bastante los resultados. Por eso yo recomendaría al lector que no leyera el libro, ya que con la sola presencia de tan extraordinarios actores podremos disfrutar con la historia. Todos ellos, Marlon Brando, Brian Keith, Elizabeth Taylor y Julie Harris, nos demostraron que estaban excelentes en sus papeles.

La homosexualidad reprimida de Brando, como el comandante Penderton, es grotesca y dolorosa, aunque supone un gran reto para su carrera de actor. Ésta es una de sus actuaciones más osadas. Su papel como el comandante feo y gordo que se pone crema en su cara, o se pavonea en el espejo, o golpea su pelo nerviosamente cuando él piensa que tiene la visita de un caballero, es tan triste y truculenta que algunos espectadores no pudieron evitar reírse.

Liz Taylor está encantadora como la esposa ardiente del absurdo comandante, aunque tiene un idilio con el teniente Langdon (Brian Keith). Keith, en su papel, tiene una de sus raras oportunidades de mostrarse profundo y hay momentos que él parece el más creíble de los actores.

La película demuestra realmente que está basada en una novela, especialmente por su absurdo argumento, como la mayoría de los que escribió McCullers. Tratar de hacer que una historia irreal se parezca a la realidad y traerla hasta el día de hoy, conduce al fracaso literario. Los desvaríos sexuales que se muestran son más propios de un libro de Freud que de la realidad cotidiana y ni siquiera en los años 60, fecha de la película, eran dignos de interés.

La historia ha sido ilustrada con fetiches adicionales, como si el material de McCullers no fuera suficiente para hacerla extraña. La esposa del comandante le da un latigazo y entonces explica que el azote limpió el aire, dando a entender que el otro deseaba ser golpeado.

El guión estuvo realizado por Chapman Mortimer y Gladys Hill, la partitura pertenece a Toshiro Mayuzumi y la fotografía a Aldo Tonti, aportando unos tonos rosados y sepias que estropearon aún más la película. Aldo Tonti recibió las mayores críticas de todos, culpándole a él y sus colorines del fracaso comercial del filme. Pues por increíble que parezca, cuando se retocó el color y se siguió exhibiendo tuvo una mejor acogida entre el público.

La mala suerte de la película culminó cuando fue condenada por la Oficina Católica Nacional para el Seguimiento de las Películas. Los homosexuales todavía no estaban de moda.

"Candy"
(Candy)

1968.
115 minutos.
Technicolor.

Productor: Robert Haggiag.
Director: Christian Marquand.
Guión: Buck Henry.
Basado en una novela de Terry Southern y Mason Hoffenberg.
Intérpretes: Ewa Aulin (Candy), Richard Burton (McPhisto), Marlon Brando (Grindl), Charles Aznavour (el jorobado), James Coburn (doctor Krankeit), John Huston (doctor Dunlap), Walter Matthau (general Smith), Ringo Starr (Emmanuel) y Elsa Martinelli (Liva).

Aunque clava casi en su totalidad la novela de Terry Southern y Mason Hoffenberg, que era una sátira erótica, la película no es erótica. Es una desquiciada historia sobre Candy, una chica estadounidense que cree que los hombres hablan de ella como de una víctima, pero cuya inocencia sirve como un afrodisiaco usado después de un período de ayuno sexual.

Pero hay secciones cómicas: el aburrido episodio de Marlon Brando como padre espiritual, un gurú de nombre Grindl, la parodia de Richard Burton como el borracho profesor McPhisto, y la escena sangrienta del hospital con James Coburn en el papel del loco doctor Krankeit. Este capítulo de neurocirugía es una mala broma sobre una enferma que los espectadores desean que termine cuanto antes, porque es malvada y cruda, pero lo cierto es que produce risa. Como la joven Candy, Ewa Aulin carece de la frescura necesaria y no es, o no puede actuar, como si fuera una norteamericana tradicional. Ella se parece más a Peter Lorre en algunos papeles.

Pero la película cuenta además con Walter Matthau, John Astin y John Huston, y en papeles menores con Charles Aznavour, Ringo Starr y Elsa Martinelli, quienes parecen buscar a alguien que les diga qué es lo que se supone tienen que hacer en el filme. Hay un director llamado Christian Marquand, pero la película ciertamente carece de dirección y sentimos pena para el editor que se ha tenido que romper la cabeza tratando de unir todos los metros filmados.

"Queimada"
(Queimada/Burn!)

1969.
112 minutos.
Color de Luxe.

Productor: Alberto Grimaldi.
Director: Gillo Pontecorvo.
Guión: Franco Solinas y Giorgio Arlorio.
Basada en una historia de Gillo Pontecorvo, Franco Solinas y Giorgio Arlorio.
Intérpretes: Marlon Brando (Sir William Walker), Evaristo Márquez (José Dolores), Renato Salvatori (Teddy Sánchez), Norman Hill (Shelton) y Tom Lyons (general Prada).

La epopeya estática y exuberante de Gillo Pontecorvo sobre mediados del siglo XIX, con la sublevación ficticia de los esclavos de una isla caribeña de habla hispana, se nos muestra bajo un prisma neo-marxista de Frantz Fanonian. Es un intento de plantar una insurrección loable dentro de un rebuscado fondo de aventuras y amores, disfrazado de revolucionarias pasiones negras.

Marlon Brando interpreta a un agente británico provocador, quien instiga a la revuelta y cuando sucede entonces cínicamente la aplasta. Él personifica las manipulaciones políticas en las colonias, así como también, por implicación, la injerencia estadounidense en Vietnam. Como Pontecorvo ha demostrado en "The Battle of Algiers", él proporciona un regalo cierto para los amantes de las epopeyas, ya que puede conducir una gran cantidad de extras con sumo acierto.

Y aquí, poniendo sentimiento en los movimientos de masas y las batallas, con muchos colores e imágenes, y ayudado por los ritmos visuales, nos parece ya un director embriagador y sensual. Cuando los negros se pasean en caballos blancos y alardean de sus cantos gregorianos sincopados, la idea que tenemos de Pontecorvo y su cinematografía se nos confirma, especialmente cuando cuenta con el apoyo de la música de Ennio Morricone.

"Queimada" es políticamente esquemática, y casi todos los diálogos nos tratan de llevar a una determinada época de la historia del colonialismo. El argumento ciertamente podría haber sido más profundo de no intervenir el Gobierno español, sumamente sensible a ser criticado históricamente, y si no hubiera ejercido fuerte presión económica sobre la productora United Artists para que suavizase sus críticas. Algunas secuencias de la película se borraron y otras se reformaron. Por eso, los españoles, que habían dominado realmente las Antillas, fueron reemplazados por los portugueses. Después de estas demoras la película se estrenó y produjo una total indiferencia entre el público.

"La noche del día siguiente"
(The Night of the Following Day)

1969.
93 minutos.
Technicolor.
Universal Pictures.

Productor: Hubert Cornfield.
Director: Hubert Cornfield.
Guión: Hubert Cornfield y Robert Phippeny.
Basada en la novela "The Snatchers", de Lionel White.
Intérpretes: Marlon Brando (Bud, el chófer), Richard Boone (Leer), Rita Moreno (Vi, la azafata), Pamela Franklin (Chica), Jess Hahn (Wally, hermano de Vi) y Gerard Buhr (policía/pescador).

El secuestro fantástico y el posterior rescate, con una producción diseñada en colores oro, marrón, azul y negro, y los personajes destacados contra paredes blancas y hablando en una pseudojerga de delincuentes, proporcionan todo menos credibilidad. Interpretando a un chófer de nombre Bud que realiza el secuestro de una chica tenemos a un Brando todavía convincente, tanto que es el único punto de interés para esta desastrosa película. Coronado con un cabello teñido fuertemente de color oro, Marlon Brando se hace acompañar de Richard Boone, que tiene la virtud de hacer naufragar casi él solo la película. Rita Moreno (también con pelo dorado), que interpreta a una chica drogadicta, realiza con acierto su papel, junto a una desconcertada Pamela Franklin.

La película, con escenas sumamente fuertes, tuvo que ser censurada para su posterior pase en televisión y supuso un fracaso económico en el cine, aunque nuevamente Brando fue elogiado por los críticos.

"Los últimos juegos prohibidos"
(The Nightcomers)

1972.

96 minutos.

Technicolor.

Productor: Michael Winner.

Director: Michael Winner.

Guión: Michael Hastings.

Basada en un personaje de la novela de Henry James "Otra vuelta de tuerca".

Intérpretes: Marlon Brando (Peter Quint) Stephanie Beacham (Margaret Jessel), Thora Hird (señora Grose) Harry Andrews (señor de la casa) y Verna Harvey (Flora).

Ingenioso pero literal preludio de la obra de Henry James "The Turn of the Screw", que sirve para la exhibición de Marlon Brando como Peter Quint y Stephanie Beacham como Miss Jessel, la corruptora de niños. Brando se adapta bastante bien a un papel espantosamente sádico como el criado de clase obrera que cuida a los niños con cariño, aunque no tiene el menor tacto cuando les hace daño. La violenta escena en la cual hace explotar a un sapo en su boca no es nada comparado con la violación que realiza a Jessel, a la cual desnuda, ata y pega antes de hacerla el amor.

La historia, pues, gira entre el horror y el sadismo, apartándose totalmente del argumento original. El espectador se queda frío ante lo que ve y no sabe si le están mostrando un estudio psicológico o una película sobre la vida y la muerte. Desde luego, no es nada divertida.

"El último Tango en París"
(Last Tango in Paris)

1972.
129 minutos.
Color.
United Artists.

Productor: Alberto Grimaldi.
Director: Bernardo Bertolucci.
Guión: Bernardo Bertolucci y Franco Arcalli.
Basado en una historia de Bertolucci.
Intérpretes: Marlon Brando (Paul) María Schneider (Jeanne), Jean-Pierre Léaud (Tom), Massimo Girotti (Marcel), María Michi (madre de Rosa), Verónica Lanzare (Rosa) y Gitt Magrini (madre de Jeanne).

"El último tango en París", de Bernardo Bertolucci, es una de las grandes experiencias emocionales de nuestro tiempo. Es una película que presenta tan resueltamente las emociones humanas, que posiblemente Marlon Brando, de todos los actores vivos, era el único que podría haberla interpretado. ¿Quién otro como él puede actuar tan brutalmente e implicar al mismo tiempo tal vulnerabilidad y necesidad?

La película entera gira sobre la necesidad, sobre el hambre terrible que su héroe, Paul, siente para lograr el amor de otro corazón humano. Él es un hombre cuya existencia entera se ha reducido al grito para pedir ayuda y que ha sido tan dañado por la vida que solamente puede expresar sus emociones gritando cuando hace el amor.

Bertolucci realiza una historia tan simple (tan despojada de cualquier confusión), que hay poco espacio en ella para otra cosa que no sea la crisis emocional de su héroe. Los sucesos que tienen lugar en el mundo cotidiano son remotos para Paul, cuya atención está absorbida por el quebrantamiento gradual de su corazón. La chica, Jeanne, no es una amiga y es casi igual a un compañero; es simplemente que ella vaga en su vida y él la usa como un objeto de su congoja.

La película empieza cuando Jeanne, que está a punto de casarse, va buscando apartamento y encuentra a Paul en uno de ellos. Es un gran apartamento vacío, con mucha luz solar, pero curiosamente poco agradable. Paul la viola, si la violación no es una palabra demasiado fuerte para describir un acto tan informalmente aceptado por la chica. Él la cuenta que ellos continuarán encontrándose allí, en el apartamento vacío, y ella accede.

¿Por qué accede ella? Una de las cosas de esta película está sobre cómo una persona, que puede comprometerse o ser indiferente, puede en un momento dado llegar a ser de gran importancia para otro. Otra de las fortalezas de la película viene por la desproporción trágica entre la necesidad de Paul y, casi sin pensar, la participación de Jeanne. Su diferencia es tan grande que crea una tensión dramática tremenda; más, desde luego, que si ambos personajes se llenaran de pasión.

Ellos continúan encontrándose y Paul insiste en que cambien sus nombres. Que vivan juntos en un apartamento es casi una fuerza del destino, no una conexión de dos seres con identidades diferentes en la sociedad. En ese momento, inevitablemente, el hombre y la chica comienzan a conocerse el uno al otro y el carácter del hombre, totalmente despersonalizado por el sexo, comienza a sufrir un cambio que no podía sospechar.

Él es un estadounidense que está viviendo en París estos duros años con una esposa francesa que tuvo un hotel convertido en prostíbulo. Cuando la película comienza, la esposa se ha suicidado. Nosotros nunca estamos bastante seguros por qué, aunque a medida que la película pasa vamos teniendo algunas pistas.

La chica es joven, consciente de su belleza y las facultades eróticas de su cuerpo, y va a casarse con un joven cineasta bastante vacío.

La banalidad de su verdadera vida la ha colocado así en su relación con Paul, quizá con la urgencia de querer tener una experiencia real, no ficticia. Ella no sabe cuál es su nombre, en realidad no sabe nada sobre él, pero cuando él hace el amor con ella es seguramente verdadero; hay una vida en una sala vacía que su prometido, con todo su cine, es probablemente incapaz de imaginar.

Ella busca lo difícil, porque es una niña. Una niña, porque ella no ha vivido todavía lo suficiente y ha perdido el tiempo solamente para saber que el mundo puede ser un quebradero de cabeza. Hay momentos en la película cuando parece realmente mirar en el alma de Paul (y a medias comprende lo que ella ve allí), en que ella decide que debe dejar atrás su vida pasada y aprovechar la oportunidad de seguir con Paul.

Se ha hablado mucho sobre el sexo en la película; de hecho, "El último tango en París" ha llegado a ser muy popular a causa de su sexo. Hay mucho sexo en este filme, más, probablemente, que en cualquier otra película legítima filmada jamás, pero el sexo no es el punto principal, es únicamente el medio de expresión. Paul está tan embrutecido por la vida que es de la única manera que él puede sentir todavía.

El sexo es uno de sus sentimientos, pero llega a ser desagradable y depravado porque él se llena tanto de la culpabilidad, que necesita realizarlo para lastimarse a sí mismo y evitar hacer otros actos o decir otras palabras.

Se ha dicho en algunos sitios que el sexo en la película es desagradable para la chica, pero yo no pienso que sea así. Ella es casi una circunstancia, una persona que se encuentra por casualidad en la escena. Ella no ha sufrido aún en su vida, no ha tenido experiencias, y adivina que Paul está haciendo lo mismo. Pero Paul sabe, y también Bertolucci, que solamente un idiota criticaría a esta película porque la chica se desnuda con más frecuencia que Paul.

La película está perfectamente interpretada por Brando y contiene escenas emocionalmente abrumadoras. Cuando vuelve al hotel y se enfrenta al cuerpo muerto de su esposa, la coloca fuera en un ataúd, y habla con ella con palabras de absoluto odio, palabras que, como él dice, llegan a ser uno de los mejores discursos de amor.

Cuando él solloza, cuando intenta quitarle la muerte que el cosmético enmascara ("Esto es obra de tu madre. Tú nunca te maquillaste, ni te pusiste una máscara en los ojos"), él lo hace demostrando que es el mejor actor de todos los tiempos. Brando puede que sea engreído, déspota en ocasiones y puede burlarse de los premios de la Academia, pero no hay ningún otro que pueda interpretar esa escena como él lo hace.

La chica, María Schneider, no parece actuar a gusto en su papel. Sobre la base de esta película, desde luego, es imposible realmente decir si ella puede ser o no una buena actriz. Quizá es que Bertolucci la dirige de ese modo. Posiblemente quiera que su personaje quede algo incomprensible y que el argumento exija que ella no llegue a ninguna conclusión concreta sobre cuál debe ser su comportamiento. Por eso no nos debe extrañar que ella se nos muestre incomprensible y en ocasiones ridícula.

¿Qué nos quieren decir con esta película? Pudiera ser que no sea posible extraer ningún mensaje o significado racional y que lo único que muestra es que el alma humana está más allá de lo racional.

Las personas, en su viaje por la vida, realizan diversos trayectos y se buscan distracciones temporales o quizá tengan la suerte de tener una vida interna tan rica que les haga vivir felices. Pero a aquellos que no tienen estos recursos internos y que carecen de fuerza mental para afrontar la muerte y las crisis emocionales, les queda el recurso de la sexualidad, la cual suele funcionar habitualmente de manera instintiva.

El sexo que se nos muestra en la película es producto de la desesperación del alma y, aunque el protagonista no tiene ninguna dificultad física para ejercerlo, no encuentra tampoco una razón para hacerlo.

Mirando "El último tango en París" de Bernardo Bertolucci, veintiséis años después de ser estrenada por primera vez, es como revisar la casa donde uno ha nacido y hacer las cosas naturales que no se hicieron.

Esta película era el estandarte para una revolución que nunca sucedió.

"El último tango en París" se estrenó, en el caso que usted lo haya olvidado, el 14 de octubre de 1972, llegando a ser un acontecimiento mundial. No era el anuncio de una nueva era social, pero sí fue el triunfo de algo tan viejo como el sexo a través de una película, una obra de arte que pronto fue reemplazada esta verdad por la propaganda escandalosa que se hizo de ella. La energía sexual de "El último tango en París" y la osadía de Marlon Brando y María Schneider haciendo el amor, no condujo a un cine para adultos más artístico. La película asustó a mucha gente, y en lugar de ser la primera de una serie de películas X hablando honestamente de la sexualidad, llegó a ser casi la última. Hollywood volvió rápidamente a películas sobre adolescentes, tecnología, héroes de acción y efectos especiales. Y con la excepción de unas películas aisladas, como "La Insoportable Levedad del Ser" (1988) y "El Imperio de los Sentidos" (1976), el uso serio de la sexualidad gráfica desapareció de la pantalla.

Paul y Jeanne, dos personas desconocidas, se encuentran por casualidad en un vacío apartamento de París y hacen súbitamente el amor de una forma brutal. El matrimonio de Paul acaba de terminar con el suicidio de su esposa y el matrimonio de Jeanne se realizará dentro de una o dos semanas.

En el sexo anónimo e imprevisto ellos encuentran algo que aparentemente necesitan, y que Bertolucci nos muestra suficientemente para que adivinemos por qué. Paul (Brando) quiere enterrar su dolor por haber sido traicionado mediante la pasión animal insensata y Jeanne (Schneider) responde a la autenticidad de su emoción, sin embargo dolorosa, porque es un antídoto al parloteo de su novio insípido y burgués. Obviamente su "relación", si es que la llamamos así, no puede existir fuera de estas paredes, en la luz del mundo verdadero.

La crítica

Yo vi "El último tango en París" nuevamente porque ha sido editado en vídeo, un mercado que permite al menos que las buenas películas lleguen con facilidad a las nuevas generaciones.

La primera vez que yo vi la película había un comentario generalizado referido a "la escena de la mantequilla", argumento que dio lugar a millones de bromas. Pero el monólogo agonizado de Brando sobre el cuerpo muerto de su esposa es quizá la mejor actuación que él ha realizado jamás, y no se ha analizado con tanto detalle.

Las miradas, los sentidos y las voces de la película son invocativas. La música de Barbieri es a veces confusa, a veces lamentable, pero nunca la usa simplemente para hacernos sentir algo.

Brando, quien puede ser el más peculiar de los actores, está aquí menos influido por el argumento. Él habla, observa, afirma cosas y se permite así mismo reventar en un enfado y enlazar rápidamente con un discurso explicando las cosas que realmente le gustan. Ese momento es maravilloso porque libera la tensión, muestra lo que sucede en el apartamento, y nosotros podemos sentir la diferencia cuando deja de hablar.

María Schneider, una desconocida cuya carrera se disipó después de esta película, está solamente correcta en su papel, pero ni Brando ni Bertolucci estaban interesados en Jeanne. Yo era bastante más joven en 1972, y fui incapaz de ver que Jeanne (o Schneider) era también una chica joven; el guionista dice que ella tenía veinte años y Paul cuarenta y cinco, pero ahora cuando veo la película ella me parece más joven, quizá porque ahora puedo apreciar mejor la firmeza de unos senos llenos y levantados. Los caracteres de ambos personajes son un enigma, pero Brando sabe los sentimientos de Paul, mientras que Schneider solamente sabe caminar correctamente con los zapatos de Jeanne.

Premios:

Nominado para mejor actor: Marlon Brando.
Nominado para el mejor director: Bernardo Bertolucci.

"El Padrino"
(The Godfather)

1972.
175 minutos.
Technicolor.
Paramount Pictures.

Productor: Albert S. Ruddy.
Director: Francis Ford Coppola.
Guión: Mario Puzo y Francis Ford Coppola.
Basado en una novela de Mario Puzo.
Intérpretes: Marlon Brando (don Vito Corleone), Al Pacino (Michael Corleone), James Caan (Sonny Corleone), Richard Castellano (Clemenza), Robert Duval (Tom Hagen) y Diane Keaton (Kay Adams).

La esencia en esta moderna película sobre un gángster, casi siempre malhumorado, es un culto al cine negro, una producción casi mítica que narra el alza, la caída y el nuevo triunfo de una familia de la Mafia en Nueva York. Marlon Brando, con sus mejillas y encías rellenas y su garganta atascada con palabras coloquiales, nos muestra a un Padrino inteligente, astuto y mortal, cuyo imperio del crimen tiene lugar junto con el amor a su familia y su respeto a sus secuaces italianos.

Sinopsis

La película comienza con el italiano Bonasera que ha acudido a la hacienda de Don Vito Corleone (Brando), para pedirle justicia y vengar la violación que dos hombres le han hecho a su hija. Ese mismo día la hija de Corleone, Connie, (Talia Shire), se casa con Carlo Rizziel en su propia finca.

En ese mismo lugar está su tercer hijo, Miguel (Al Pacino), un condecorado capitán de marina, quien acaba de volver de la segunda guerra mundial. El colegio le educó sensible y observador, y por ello él es diferente a casi todos los demás, a excepción de una chica bien educada llamada Kay (Diane Keaton), su novia. Miguel indica entusiasmado a Kay cómo era de muchacho y cuáles eran sus héroes de antaño.

Johnny Fontane, cuyo papel estuvo pensado para Frank Sinatra, pide a Don Vito que le ayude para conseguir un importante papel en una película de la cual ha sido excluido por su enemistad con el director. Esta película le es imprescindible para revitalizar su carrera. Vito le da bofetadas y le dice que se comporte como un hombre, pero promete que hará lo que pueda.

Más tarde, el abogado de Vito, Tom Hagen (Robert Duvall), hace un viaje a Hollywood para pedir en el nombre de Vito que el director Jack Woltz (John Marley) le dé el papel principal en la película a Fontane. Woltz cena con Hagen, exhibiendo ambos una gran cortesía. Entonces el director estalla, diciendo que el cantor arruinó a una de sus mejores actrices y que no se lo dará bajo ninguna circunstancia.

La familia Corleone tiene otras maneras para cambiar la forma de pensar de Woltz. Él se despierta un día en su lecho de seda cubierto de sangre. Descubre la cama y ve la cabeza de su caballo de carreras más apreciado a sus pies, envuelta en sangre. Sus gritos se oyen en todo Hollywood, pero Fontane consigue el papel en la película. "Nosotros le hicimos una oferta que él no puede rehusar", informa Hagen a su regreso a Nueva York.

Los verdaderos negocios de Vito y su compañía dependen en gran manera de otro mafioso de nombre Sollozzo (Al Lettieri), quien tiene la ayuda de otra familia dirigida por Phillip Tattaglia (Victor Rendina) y su hijo Bruno (Tony Giorgio). Sollozzo, en una reunión con Vito, Sonny (James Caan) y otros miembros de la familia, le propone dedicarse al lucrativo negocio de la droga y para ello requiere la protección política de Vito, ya que sabe que está bien considerado por los políticos. Don Vito, que pertenece a la vieja escuela de la Mafia, dice a Sollozzo que no le interesa el negocio de la droga y que seguirá solamente con el negocio del juego, la prostitución y la protección a personas de negocios.

Con su rechazo firma su sentencia de muerte y es ametrallado en plena calle, aunque milagrosamente consigue sobrevivir. Su hijo Miguel, que hasta entonces ha preferido permanecer al margen de los negocios de su padre, decide hacer justicia y mata a Sollozzo y a un corrupto oficial de policía. Para protegerle, su familia le manda a Sicilia, donde se casa y vive durante dos años, aunque su mujer muere en un atentado.

Cuando Michael regresa y visita a su padre en el hospital, descubre que los pistoleros de la familia, que se suponen están para proteger a Vito, han desaparecido. Se da cuenta que es una trampa y que quieren matar a su padre, consiguiendo llevárselo de allí.

Desde ese día Miguel se encarga de los negocios de la familia por deseo de su padre.

El nuevo padrino, Miguel, se casa con su antigua novia Kay y se convierte en el líder a causa de la delicada salud de Vito, quien muere súbitamente mientras está jugando con su nieto.

Casado ahora con Kay, él asiste a un bautismo como padrino; la cámara filma una cruda escena que nos muestra la matanza de los hombres de Michael, Barzini, Phillip Tattaglia, Moe y otros, una matanza terrible en el campo, mientras los votos del cura de la iglesia donde se celebra el bautizo hablan de amor y de paz con voz hipócrita. Después vemos el asesinato de Tessio, antiguo amigo de su padre pero traidor al fin, y de su cuñado Carlo, por su implicación en el asesinato de Sonny.

Al final de la película, Kay ve un mafioso después de otro entrar en la oficina de su esposo para besar su mano y juramentar lealtad. La puerta se cierra lentamente sobre esta escena, dejando claro que Michael es el jefe de todos los jefes, el líder del crimen más poderoso en América.

"El Padrino", con sus tres horas de metraje, puede aturdir, aunque, después de tener una visión tan dramática del sindicato del crimen que creció omnipotente en los Estados Unidos, el espectador se levanta satisfecho. Esta película es diferente a otras de gángsters y para ello no se basa en ninguna otra fórmula ya probada y nos cuenta la historia en forma de viñetas visuales, aunque es la presencia casi mítica de Brando lo que hace que la película alcance la dimensión de obra maestra. Por supuesto, la novela de Puzo se estructura sobre el mismo principio e incorpora mucha de la realidad y mito del gángster.

Puzo, quien luego sostuvo que él había tenido a Brando en la mente cuando desarrolló el personaje de Vito Corleone, vendió los derechos de su libro para la película por treinta y cinco mil dólares, mientras que estaba todavía escribiendo su novela y la vendió antes de encontrar un mejor comprador. La Paramount le dio el incentivo agregado de cien mil dólares y un porcentaje pequeño de las ganancias si escribía el guión. El estudio tenía de presupuesto solamente dos millones de dólares para el rodaje, y los ejecutivos quisieron que solamente mostrara una historia contemporánea.

La Paramount entonces contrata a Coppola como director, aunque sus anteriores películas "El Valle del Arco Iris" (1968), "You're a big Boy Now" (1966) y "Llueve sobre mi corazón" (1969) habían sido pequeños fracasos. El productor Ruddy, esencialmente un productor televisivo, consiguió también un buen reconocimiento. Aún faltaba convencer a la Paramount para que aumentara su presupuesto para "El Padrino", ya que la anterior película sobre el mismo tema, "Mafia" (1968) con Kirk Douglas, había sido un fracaso deprimente.

La brillante técnica de la Paramount dio un buen resultado. Coppola supo mezclar la luz y la oscuridad, y consiguió proporcionar a la productora una ganancia de más de ciento cincuenta millones de dólares y convertirla en una de las películas más taquilleras.

Contando con un presupuesto de seis millones de dólares, Coppola realizó la mayoría de las escenas en Hollywood, Las Vegas y Nueva York, usando exteriores en el Bronx, Brooklyn, Manhattan y en Richmond, Nueva York. La escena donde Don Vito es asesinado se hizo en una calle real llamada Mott, aunque se vio en la necesidad de tapar las antenas colectivas. Los disfraces y automóviles antiguos se buscaron en varios almacenes y también se mostraron cómo eran las instituciones de Nueva York en aquella época, como el Hospital de Bellevue y la clínica de Nueva York "Eye and

Ear". Además, Al Pacino y una segunda unidad estuvieron dos semanas en una aldea pequeña en Sicilia.

Los otros actores

Todos los que trabajaron lo hicieron en papeles memorables, incluso los actores secundarios. Al Pacino en particular está maravilloso como el educado hijo que decide hacer caso a su sangre paterna y dedicarse al negocio de la mafia. Es realmente la película que catapultó a la fama a Pacino, aunque las actuaciones de Brando son tan convincentes que no lograron hacerle sombra y le proporcionaron su segundo Oscar.

Caan se perfecciona igualmente como el hijo hedonista, cuyas maneras sangrientas terminan con su propia matanza. Duvall, el rápido e ingenioso abogado, adoptado como un hijo, está perfecto en su actuación tranquilizadora como una de las personas más cuerdas cuando tienen un revólver en las manos. Keaton, la inocente pero amorosa esposa, proporciona un adecuado equilibrio entre la maldad y la dulzura, aunque sorprendentemente ella es la perdedora. Hayden, como el corrompido poli, está en su puesto, así como Castellano, Vigoda, Rocco (haciendo de Bugsy Siegel) y otros, asombrosamente creíbles, escalofriantes y precisos en sus representaciones. No solamente es la dirección y la actuación perfecta todo lo bueno de esta obra maestra melancólica, ya que los técnicos y la partitura son igualmente soberbios.

Brando cobró únicamente cien mil dólares y un porcentaje de la película, que según se informa le produjo dieciséis millones de dólares. Su papel no estuvo asignado inicialmente; los productores primero pensaron en Edward G. Robinson o Laurence Olivier, aunque el productor Ruddy y el director Coppola querían a Brando especialmente. Coppola había oído que Brando era difícil para trabajar, pero se sorprendió con la facilidad de su actuación y su cooperación durante los treinta y cinco días que la estrella trabajó con ellos (entre el 12 de abril y el 28 de mayo, 1971).

La voz de Brando en la versión original (luego ha tenido que ser cambiada en los diferentes doblajes) era algo complicado en un actor que tenía cuarenta y siete años y debía dar el aspecto y sonido de alguien mucho más viejo. El problema se resolvió con el maquillaje del experto Dick Smith, quien ha realizado portentos similares en "El Exorcista" (1973) y en "Pequeño Gran Hombre" (1970), donde aparece envejecido Dustin Hoffman con cien años de edad. Dick Smith agregó arrugas a Brando con el látex líquido correspondiente, especialmente alrededor de los ojos y nariz. Un aspecto correoso se logró de la misma manera, conjuntamente con la carne floja y abultada bajo los ojos. Él puso tonos de piel aceituna para dar a Vito un aspecto mediterráneo. Una dentadura especial se metió a lo largo de su maxilar inferior para sacar la mandíbula del actor hacia fuera, con una dentadura completamente diferente, además de lograr hundir sus mejillas. Se rellenaron las mejillas con una sustancia gomosa para lograr quijadas más grandes, y este dispositivo alteró el aspecto y la voz del actor drásticamente, dando origen a la especulación sobre la cantidad de horas que se invirtieron poniendo algodones en las mejillas y el tejido facial elaborado con periódicos.

¿Realidad o ficción?

¿Se basa "El Padrino" en una verdadera epopeya del crimen? Quizá se parece a Carlo Gambino, mezclado con un poco de Willie Moretti y otro poco de Lucky Luciano. Lo que realmente importa es que la película nos muestra el decenio de 1940, con la Mafia en una posición de poder que no se perdió hasta el decenio de 1970. Su filosofía de matar a cualquiera que se opusiera a sus negocios era, por supuesto, el razonamiento para la existencia continuada de las mafias. Los verdaderos líderes de la Mafia en Estados Unidos disfrutaban de la fascinación, el prestigio y la imagen perpetua que la película mostró. De hecho, en su reducto principal de Chicago, la ciudad de la Mafia, el sindicato del crimen utilizaba una cantidad interminable de limusinas para sus fechorías, la mayoría de las cuales aún se conservan y pudieron ser empleadas para esta película.

El mensaje pudiera ser que los mafiosos pagaron su crimen, pero no fue así, y solamente unos pocos acabaron en la cárcel. Brando dijo algo parecido cuando fue entrevistado posteriormente:

"De alguna forma, la Mafia es el mejor ejemplo de capitalistas que nosotros tenemos. Don Corleone es simplemente un magnate ordinario de los negocios, quien trata de hacer lo que mejor puede para el grupo que él representa y para su familia."

No obstante, las palabras "Mafia" y "Cosa Nostra" habían ocasionado alboroto entre las diferentes comunidades italianas en los Estados Unidos. Antes de que se terminase la película, la Liga Italoamericana de Derechos Civiles recaudó seiscientos mil dólares en una reunión enorme en el Madison Square Garden, que serían usados para frenar la producción. La parte principal de ese movimiento era Frank Sinatra, sobre quien el personaje de Martino parece ser que se basaba. Puzo apoyó esta idea en "El Padrino" y "Otras Confesiones", afirmando cómo él encontró a Sinatra en un restaurante de Hollywood. Allí Sinatra comenzó a gritar y abusar de los empleados, y eso le dio la base para incluirle como Johnny Fontane. Otros también tuvieron problemas, como Vic Damone, quien había aceptado el papel de Fontane y posteriormente lo dejó, no porque se sintiera presionado por la Mafia, sino porque "no daba una buena imagen de los italo-americanos". El autor italo-americano Puzo, sin embargo, dijo en un artículo del "New York Times": "¿Controlan los italo-americanos el crimen organizado en América?" La respuesta estuvo dispuesta para asegurar que sí.

Diez días antes que "El Padrino" empezara a rodarse, Ruddy se encontró con líderes de la Liga Italoamericana de Derechos Civiles y acordó borrar en el guión toda mención de las palabras "Mafia" y "Cosa Nostra." Antes de esta reunión, la Paramount había recibido, según se informa, un montón de cartas que amenazaban con organizar una marcha durante la producción y por todo el país para boicotear la película. Ruddy luego anunció los resultados de su reunión, diciendo que su interés estaba solamente en asegurar una película de gran calidad. Él se justificó alegando: "Nosotros tuvimos que conseguir la promesa de la comunidad italo-americana de no interferir el rodaje, asegurándoles cortésmente que nunca habíamos tenido ninguna intención de provocar problemas con sus ciudadanos."

"El Padrino" no era una crónica de violencia y sangre sobre el gran poder que tenían las mafias en el mundo, pero no hay que olvidar que estaban y están ahí, y esto siempre será objeto de una producción cinematográfica.

Premios:

A la mejor película: Albert S. Ruddy Productor.

Al mejor actor: Marlon Brando.

Al mejor guión: Mario Puzo y Francis Ford Coppola.

Nominada al mejor actor secundario: James Caan.

Nominada al mejor actor secundario: Robert Duvall.

Nominada al mejor actor secundario: Al Pacino.

Nominada al mejor director: Francis Ford Coppola.

Mejor guión: Mario Puzo y Francis Ford Coppola.

Nominada al mejor vestuario: Anna Hill Johnstone.

Nominada al mejor filme editor: William H. Reynolds y Peter Zinner.

Nominada al mejor sonido: Bud Grenzbach, Richard Portman y Christopher Newman.

"Missouri"
(The Missouri Breaks)

1976.
126 minutos.
Color de Luxe.
United Artists.

Productor: Elliot Kastner y Robert M. Sherman.
Director: Arthur Penn.
Guión: Thomas McGuane.
Música: John Wlliams.
Intérpretes: Marlon Brando (Robert Lee Clayton), Jack Nicholson (Tom Logan), Kathleen Lloyd (Jane Braxton), Randy Quaid (Little Tod), Frederic Forrest (Cary) y Harry Dean Staton (Calvin).

La dinamita es la estrella del filme, junto con el pistolero Robert, contratado por Braxton para que le libre del ladrón de caballos Logan. Pero este enfrentamiento no servirá para nada, ya que al final no sabemos quién es más cuatrero, si Logan o Braxton.

Embrollada y excesivamente violenta, la película naufragó en taquilla a pesar de contar con un gran director y dos estupendos actores. Creemos que se lo merecía.

La crítica

"Durante los últimos años de su carrera Brando no ha sabido escoger acertadamente sus películas y ha participado en proyectos que solamente en apariencia eran interesantes. Ahora ha decidido dar demasiado, parodiándose a sí mismo. Su trabajo en "Missouri Breaks" no es tanto una actuación como una demostración de que es un actor que sobrevive a todo, incluso a las malas películas."

"Ésta es una de las exhibiciones más extravagantes desde Sarah Bernhardt."

"Marlon Brando es un fastidio. Nos muestra las excentricidades de su carácter a los límites de la credibilidad. Entonces, si usted piensa: 'Esto es ridículo', él quizá esté de acuerdo."

"Él tiene un infalible talento para pesar el valor de un personaje y darle ni más ni menos lo que se merece."

"Marlon Brando a sus cincuenta y dos años tiene la barriga de uno de sesenta y dos, el pelo blanco de uno de setenta y dos, y la carencia total de disciplina de un precioso niño de doce años."

"Apocalipsis Now"
(Apocalypse Now)

1979.
150 minutos.
Technicolor y Technovisión.

Productor: Francis Ford Coppola.
Director: Francis Ford Coppola.
Guión: Michael Herr, John Milius y Francis Ford Coppola.
Música: Carmine Coppola y Francis Ford Coppola.
Fotografía: Vittorio Storano.
Intérpretes: Marlon Brando (coronel Kurtz), Robert Duvall (lugarteniente Kilgore), Martin Sheen (capitán Willard), Frederic Forrest (cocinero), Albert Hall (jefe de cocina), Sam Bottoms (soldado) Dennis Hopper (fotógrafo) y Harrison Ford (coronel).

Esta brillante, rara y confusa película ha proporcionado a su director Francis Ford Coppola gran celebridad. Él fue también muy aplaudido por su postura antibelicista, aunque ahora se nos muestre llena de defectos. También aportó el aliciente de ver a una leyenda del cine, como Marlon Brando, en un papel incomprensible. Curiosamente, la película iba a ser dirigida inicialmente por George Lucas, ya que era un proyecto suyo.

Sinopsis

Un capitán harto de la guerra y el sufrimiento de la batalla (Martin Sheen) ordena que cuatro hombres de su batallón vayan arriba del río Mekong, en Camboya, para apresar, o matar si es necesario, a un furioso coronel estadounidense (Marlon Brando), que ha establecido una dictadura despiadada. Sheen y sus hombres llegan con sus helicópteros, acompañados de un coronel (Robert Duvall) que "ama el olor del napalm por la mañana", a una fortaleza del Vietcong. Los helicópteros vuelan mientras suena "Paseo del Valkyries" de Wagner y entonces proceden a bombardear todo lo que ven.

Después llegan al lugar donde millares de reclutas están mirando frenéticamente las páginas del *Playboy,* mientras otros se despiertan al lado de guapas nativas. Posteriormente reanudan su viaje y finalmente alcanzan la fortaleza de Brando.

Las señales de su dictadura se observan mirando simplemente la gran cantidad de cabezas de disidentes empaladas sobre estacas, mientras que los cadáveres cuelgan de los árboles. A su alrededor hay multitud de rezagados estadounidenses, seguidores fanáticos de Brando, especialmente un fotógrafo neurótico (Dennis Hopper).

Brando permanece en la oscuridad de una húmeda cueva, meditando sobre la vida y la muerte, y le cuenta a Sheen que "el terror moral" es necesario para la conservación de la civilización. A pesar de su admiración por Brando, Sheen

MARLON BRANDO · ROBERT DUVALL · MARTIN SHEEN en APOCAL
FREDERIC FORREST · ALBERT HALL · SAM BOTTOMS · LARRY FISHBURNE y DENN
Producida y dirigida por FRANCIS
Escrita por JOHN MILIUS y FRANCIS COPPOLA · Narración de MIC
Coproducida por FRED ROOS, GRAY FREDERICKSON y TOM S
Director de fotografía VITTORIO STORARO · Director artístico DEAN TAVOULARIS · Montaje RICHA
Montaje musical de WALTER MURCH · Música de CARMINE COPPOLA y FRANCIS
DOLBY STEREO UNA PRODUCCIÓN OMNI

PROCINES

efectúa la ejecución y huye con otro soldado (Sam Bottoms), cuando los nativos le cierran la retirada.

Cinco años para el rodaje con gran indecisión, costos enormes, tecnología cara, progreso muy lento, contaminación del agua, etc., son como una metáfora irónica sobre la injerencia de América en Vietnam.

La película originalmente fue un desastre financiero, para la que se calculó un presupuesto inicial de poco más de cinco millones de dólares. Pero cuando el director comenzó el rodaje ya eran necesarios unos doce millones de dólares que sobrepasaron los treinta y un millones antes del día 238 del rodaje. El costo final fue tan alto que Coppola tuvo que poner dinero propio en la producción. Además, la película estuvo suspendida unos días a causa de un ataque al corazón de Sheen.

Coppola produjo una película imponente que retrata la polémica guerra del Vietnam. Todo aquí está pervertido, desde los funcionarios, los comandantes, hasta la diversión de los soldados estadounidenses: en lugar de Bob Hope y cómicos, hay prostitutas; en lugar de militaristas determinados y melancólicos, hay esquizofrénicos y locos paranoides.

Los valores de producción y fotografía son impecables y Coppola reprodujo con acierto el sabor del Vietnam camboyano, la jungla y el ramaje sofocante escondiendo peligros. Pero la historia se demora por pasajes extraños, especialmente los incomprensibles monólogos mascullados por Brando que repite una y otra vez en su cueva (según nos informan inspirados en la novela de Joseph Conrad "Corazón oscuro"). Uno nunca comprende con claridad el punto de vista de este lunático, como tampoco la incorporación de muchas escenas tan surrealistas. Aquí, nuevamente, se envió un mensaje que nadie entendió.

La yuxtaposición de Coppola, muy veloz; con Brando, más lento, no justifica el resultado final.

El punto neurálgico, por supuesto, es esa guerra inútil, horrorosa e inhumana, en donde "Apocalipsis Now" triunfa con exactitud devastadora. No hay un sentimiento verdadero aquí para la guerra del Vietnam donde centenares de millares de estadounidenses pelearon y en donde hubo más de 50.000 muertos, una actitud universal que se encuentra mejor reflejada en "El Cazador" (1978) e iguala "Boinas verdes" (1968). La interpretación intensiva de Coppola sobre la guerra es técnicamente impresionante y espantosa, pero carente de humanidad.

Premios:

Premio de la Academia al mejor sonido y mejor fotografía.
Nominada como mejor película (perdió a favor de "Kramer contra Kramer").
Nominado como mejor actor secundario: Robert Duvall.
Nominada al mejor director.
Nominada al mejor guión.
Nominada a la mejor dirección artística.

"Supermán"
(Superman)

1978.
143 minutos.
Color.

Productor: Pierre Spengler.
Director: Richard Donner.
Guión: Mario Puzo, David Newman, Leslie Newman y Robert Benton.
Historia creada por Puzo, basándose en los personajes del cómic de Jerry Siegel y Joe Shuster.
Música: John Williams (interpretada por la Orquesta Sinfónica de Londres).

Efectos especiales: Colin Chilvers, Roy Field, Derek Meddings, Zoran Perisic, Denys Coop y Les Bowie.

Diseñador y creador de maquetas: Derek Meddings.

Intérpretes: Marlon Brando (Jor-El), Gene Hackman (Lex Luthor), Christopher Reeve (Supermán y Clark Kent), Ned Beatty (Otis), Jackie Cooper (Perry White), Glenn Ford (papá Kent) y Margot Kidder (Lois Lane).

"Supermán" es una delicia pura, una combinación maravillosa de todas las cosas antiguas que a nosotros realmente nos emocionaron en el cine y que abarcan aventura y romance, héroes y villanos, lo terrenal y los efectos especiales. Todo ello junto está presente en "Supermán", además de un gran ingenio y mucha imaginación. Que esta enorme y presupuestaria epopeya, que lleva ya media década ilusionando a los aficionados, llegara por fin de una manera seria a la pantalla grande, resultaría cuanto menos ser una opción inteligente.

El ingenio, si tiene valor, es un poco lento para darse a conocer por sí mismo. Las escenas de apertura de la película combinan grandes intergalácticos efectos especiales con poderosos actores y diálogos. Empezando con Marlon Brando, quien, como el padre de Supermán, envía a su hijo al planeta Tierra en una nave espacial que apenas tiene tiempo de escapar a la destrucción del planeta Kriptón. A Brando se le pagó supuestamente tres millones de dólares por su corto papel, y si lo juzgamos por su diálogo indudablemente es un buen sueldo.

Después que Superboy sobrevive en su viaje por el espacio llega a un campo de trigo, arrasándolo como si fuera un meteorito. Y al poco tiempo empiezan de nuevo los sorprendentes efectos especiales en los cuales vemos el más maravilloso de todos: Supermán, el hombre de acero, volando. En su momento, antes de la era de la digitalización por ordenador, estos trucos resultaron extraordinarios y pudimos ver un tren lleno de viajeros descarrilando, mazmorras subterráneas, un terremoto sobre San Francisco y un dique reventando y arrasando un pueblo, si Supermán no lo impide, claro. Pero al contrario que en otras producciones modernas, los efectos especiales en "Supermán" no son los principales protagonistas, sino la historia misma.

El espectador se encontró a sí mismo agradablemente sorprendido, y tomó una posición muy favorable para el filme desde el comienzo.

La película estaba basada fielmente en el cómic que han leído ya al menos tres generaciones, pero al mismo tiempo es sumamente sofisticada y astuta, con un conocimiento total del material disponible, lo que genera una asombrosa, refrescante y arrítmica comedia de ciencia-ficción.

La mayoría del humor se centra, por supuesto, alrededor de uno de los iconos centrales de la cultura estadounidense popular, Supermán, quien, según puedo recordar a través de los centenares de cómics y programas de radio que tuve la suerte de ver en mi niñez, tiene una personalidad doble como el reportero Clark Kent del periódico *Daily Planet,* anclado en la ciudad de Metrópolis. El problema es que ambos, Supermán y Clark, están enamorados de la misma chica.

Los productores dedicaron bastante tiempo en buscar a través del mundo al actor que pudiera interpretar a Supermán, y aunque "las búsquedas de talentos" sean comúnmente cien por cien desafortunadas, en esta ocasión, por una vez, ellos realmente encontraron el tipo adecuado.

Él es Christopher Reeve. Él mira como Supermán en los cómics (un destino que yo no desearía a nadie), pero además también es un actor comprometido, abierto y cómico en sus escenas de amor con Lois Lane, y está correctamente imponente en su confrontación decisiva con el villano Lex Luthor. Reeve vende bien su papel y sobre él recae todo el peso de la película.

"Supermán" puede haber sido un filme caro, tenía todo el

derecho, pero el dinero no se malgastó inútilmente. El guionista escribió la historia obviamente sin preocuparse del presupuesto.

Después que Clark Kent va a trabajar en el *Daily Planet*, en donde trabajan también Perry White, Lois Lane y Jimmy Olsen, allí hay una serie directa de desastres simplemente para abrir boca: Lois Lane se encuentra a sí misma pendiendo en el aire desde un cinturón del asiento de su helicóptero, el cual se ha estrellado en la azotea del edificio del *Daily Planet;* un avión es golpeado por un rayo y pierde un motor; unos ladrones suben por la fachada de un edificio ayudándose con ventosas, mientras Supermán resuelve todas estas emergencias con buen tacto y maneras. Él es muy modesto sobre sus capacidades y cuando le preguntan dice que él está "por la verdad, la justicia y la seguridad de los ciudadanos", y aunque, por supuesto, no quiere inmiscuirse en los destinos de la humanidad, se enamora de Lois Lane, quizá la menos agraciada de sus compañeras.

Lane es interpretada por Margot Kidder, y su relación es sutilmente divertida y malvada. Ella vive como una chica típica en un apartamento de reportero (sobre un rascacielos de Metrópolis), y Supermán llega volando para someterse a una entrevista privada, premiándola con un vuelo libre sobre Metrópolis, no sin antes intentar seducirla diciéndola que ha podido ver con su visión de rayos X que su ropa interior es roja, su color preferido. Supóngase que es usted la reportera y tiene a Supermán delante, ¿qué le pediría? Lo mismo que ella.

Mientras tanto, el perverso Lex Luthor (Gene Hackman) planifica un plan apocalíptico para destruir la Costa Oeste entera, más una parte de Nueva Jersey. Él sabe el punto débil de Supermán, la sustancia mortífera kryptonita, y también sabe que Supermán no puede ver a través del plomo. Por eso vive en un sótano de la ciudad, con las paredes forradas de plomo mientras busca su inspiración cósmica y maquiavélica. Con lo que no contaba es que Supermán le haría una visita sin llamar a la puerta; la empuja y entra.

Parece suficiente para una película, pero aún hay más. La película se desarrolla muy bien a causa de su ingenio y sus efectos especiales, y cuenta con la enorme ventaja de que casi todos los espectadores conocen la historia y no necesitan muchas explicaciones. Para los que llegaron tarde en su pasión por Supermán, los guionistas nos pusieron toda una primera media hora extraordinaria sobre la vida en el planeta Kriptón.

Escenas brillantes hay muchas, como la primera vez que se cambia en una cabina telefónica, de la cual sale un sonriente Christopher Reeve que nos embriaga, mucho más cuando emprende el vuelo sin alas. Estos guiños que Reeve hace al espectador son parte de la complicidad entre él y nosotros.

Y entonces llegan los efectos especiales, tan buenos que merecieron un Oscar y tan extraordinarios que aún hoy nos siguen gustando e impresionando. Cuando el guionista requiere que Luthor nos genere un terremoto para que Supermán lo arregle inmediatamente con sus superpoderes, allí están los técnicos, que además lo hacen en la falla de San Andrés y para más complejidad se cargan un puente colgante lleno de vehículos.

No hay nada que no pueda hacer Supermán y por ello la película es, de hecho, un triunfo de la imaginación que salva las dificultades de la tecnología y las inhibiciones del dinero. Supermán no era fácil de traer a la pantalla, pero los cineastas aguardaron hasta que tuvieran los derechos.

Premios:

Nominada al mejor filme editor: Stuart Baird.
Nominada a la mejor música: John Williams.

Nominada al mejor sonido: Gordon K. McCallum, Graham Hartstone, Nicolas Le Messurier y Roy Charman.

Especial realización: Les Bowie.

Mejores efectos visuales: Colin Chilvers, Denys Coop, Roy Field, Derek Meddings y Zoran Perisic.

"La Fórmula"
(The Formula)

1980.
117 minutos.
Color.

Productor: Steve Shagan.
Director: John Avildsen.
Guión: Steve Shagan.
Intérpretes: George C. Scott (detective), Marlon Brando (Adam Steifel), Marthe Keller (Lisa), John Gielgud (doctor (Esau) y G. D. Spradlin (Clements).

Una de las ironías de "La Fórmula" es que se había hecho desde un envejecido Hollywood, con una fórmula que ya no interesaba al público. Por ello, la película es tan completamente desconcertante que nosotros estamos tratando de saber qué es lo que quisieron hacer, cómo lo hicieron y, especialmente, quiénes lo hicieron. La película no nos aporta ninguna ayuda, ya que parece ser un thriller, en ocasiones una denuncia hacia las grandes multinacionales, y al final nos creemos que hemos visto una historia policíaca de detectives sin ladrones.

La película está basada en la novela de Steve Shagan, un best-séller que comenzó con la premisa de que los nazis habían descubierto una fórmula barata para elaborar combustible sintético hace treinta y cinco años, y que las corporaciones gigantes del petróleo lo habían ocultado. En la película, las compañías de petróleo están representadas por Marlon Brando, quien aparece en tres escenas fascinantes, suficientes para sus admiradores. Los buenos tipos se reflejan en la persona de George C. Scott, como un detective de Los Ángeles que en principio está investigando el asesinato de un amigo y tropieza con una pista que lo conduce a Europa y a los poseedores de una fórmula secreta.

De lo que estoy bien seguro es que en la película hay demasiadas preguntas que permanecen sin contestar. Por ejemplo, en Europa el señor Scott hace contacto con una dama joven que parece estar en el mismo lado que él. Ella es interpretada por Marthe Keller, como el mismo tipo de enigmática internacional hermosa que ya habíamos visto representado en otras películas. Pero, ¿qué es ella realmente ahora? En algunas entrevistas, Steve Shagan explica que ella forma parte de la Organización para la Liberación de Palestina. En la película, nosotros vemos que se siente culpable porque su padre era un nazi que odiaba a los judíos. Entonces, ¿por qué ella está en la OLP? Lo que apenas importa es su afiliación, si los demás hechos no se aclaran nunca en la película.

Hay otros acertijos. Cuando Scott investiga sobre la fórmula, con todos los que habla son asesinados inmediatamente. ¿Por qué? ¿Por qué él está siendo conducido hacia un intento totalmente inútil y cada personaje es eliminado después de haber servido a su función? ¿Por qué los asesinos tratan de desalentar a Scott y simplemente no le matan como hacen con los demás? Es un misterio. Yo debo admitir también que al final de la película todavía no supe con seguridad quiénes eran los malos. Creo entender que era una conspiración de la compañía de petróleo de Brando, pero no podría estar seguro.

"La fórmula", aparentemente, es un acuerdo realizado a última hora entre el escritor y productor Shagan y el director John Avildsen, quienes intercambiaron cartas agresivas antes del rodaje en el periódico "The Angeles Times", aunque Avildsen fracasó en un intento de que quitasen su nombre de los títulos. Según lo que podemos recordar, Avildsen quiso que la película tuviera más sentido como un thriller, mientras Shagan se cernía más en que fuera como un "mensaje".

Bien. Uno de los problemas con su mensaje es que no es nada real; es una fantasía. Aunque puede ser cierto que las compañías multinacionales del petróleo tratan de manipular el mercado de la energía, parece improbable que esa fórmula exista y que a través del carbón pueda producirse un lubricante barato. Aunque la publicidad de la película insiste en que todo se debe a una investigación oculta de los nazis, nunca se ha podido probar nada semejante.

En un artículo publicado en noviembre de 1980 en una revista científica, afirman que "el lubricante sintético usado por los alemanes es parte de los secretos de la firma Mobil" y que la película, "como historia, es una tontería".

Si la película no puede tomarse seriamente como un hecho real, y es desesperadamente confusa como un thriller, ¿qué queda?: dos actuaciones maravillosas. Scott, como el detective, es un asqueado, cansado y un hombre hondamente cínico que llena las fisuras de su papel con detalles de un actor que hacen el policía humano. Y sobre Brando, ¿quien diseñó su maquillaje para que pareciera un occidental de la compañía de lubricantes? Quizá tendrían que despedirlo.

Aunque toda su actuación es extraordinaria, el discurso final es digno de destacar cuando dice: "Usted está haciendo desaparecer todos los lazos de unión que tenemos con los árabes." Esa frase fue incluida seguramente antes de la invasión a Kuwait.

Lo que sucede con "La fórmula" es que nosotros abandonamos pronto la idea de encontrar algún sentido a la película y sobre el contenido nos remitimos a otros planteamientos similares.

Premios:

Nominada a la mejor fotografía: James Crabe.

"Una árida Estación Blanca"
(A Dry White Season)

1989.
107 minutos.
Color.

Productora: Paula Weinstein.
Directora: Euzhan Palcy.
Guión: Euzhan Palcy y Colin Welland.
Basada en una novela de Andre Brink.
Intérpretes: Donald Sutherland (Ben du Toit), Winston Ntshona (Gordon Ngubene), Susan Saradon (Melanie Bruwer), Janet Suzman (Susan du Toit), Zakes Mokae (Stanley), Marlon Brando (Ian McKenzie).

Cuando usted esté seguro que su vida ha caído en una rutina pacífica, hay una tendencia para mirarla de otra manera cuando un problema sucede especialmente si no lo ha provocado usted. Digamos, por ejemplo, que usted es un maestro blanco en una escuela de Sudáfrica, Johannesburgo para más detalles, y que vive en un hogar cómodo a las afueras de la ciudad con su esposa y dos niños. Suponga que el hijo africano de su jardinero desaparece un día. ¿Cómo se sentiría usted? Usted se sentirá triste, por supuesto, porque tiene instintos humanitarios. ¿Pero qué pasa si se entera que el muchacho está encarcelado como víctima de la brutalidad policial y esto es algo ilegal? ¿Qué hace usted entonces, en un país donde el jardinero ha de albergar poca esperanza de que una apelación efectiva sirva para algo? ¿Se involucraría usted para que soltasen al muchacho?

Ésta es la pregunta que se hizo Ben Du Toit (Donald Sutherland) en los primeros planos de "Una árida Estación Blanca". Su respuesta es casi instintiva: "Mejor déjalo estar", le dice al jardinero. "No tengo la menor duda que ellos cometieron una equivocación con tu hijo y lo van a liberar. Él no tiene que estar allí, puesto que no ha hecho nada." Ésta es una respuesta sensata, si el muchacho no es su hijo. Pero Gordon Ngubene (Winston Ntshona), el jardinero, no puede aceptarlo. Con la ayuda de un abogado africano, él trata de conseguir algunas respuestas, para averiguar por qué y cómo desapareció su hijo. Y no es muy agradable lo que averigua.

"Una árida Estación Blanca" es una película adecuada para la década de 1970, cuando los alumnos de Soweto, un municipio africano a las afueras de Johannesburgo, realizaron una serie de protestas. Ellos querían ser educados en inglés (el idioma oficial de Sudáfrica), no en africano (algo que solamente hablaban ya las tribus ocultas). Las protestas acabaron con la muerte de muchos manifestantes, pero el Gobierno aguantó las protestas y, tratando de evitar una sublevación civil, inició una fuerte época de represiones y encarcelamientos.

Ahora nosotros hemos llegado a otra etapa en la democratización de Sudáfrica, donde, para asombro general de casi todos los involucrados, las manifestaciones pacíficas contra el Gobierno son en todo el país. Cuando alguien que ha visitado Sudáfrica y estudiado durante un año en la Universidad, es preguntado por su opinión sobre ese país, sobre cómo es ahora la vida allí y si se ven ya habitualmente marchas de protesta por la libertad, la respuesta sigue siendo la misma: es incomprensible que seis millones de blancos puedan tener el poder sobre veinticuatro millones de africanos.

Esta película, basada en una novela de Andre Brink, nos muestra una serie de imágenes audaces unidas con las palabras y los conceptos sobre la historia de Sudáfrica. Nos gusta

ver los tranquilos y limpios barrios poblados por blancos, así como los enormes rascacielos del centro (algunos estadounidenses), y creo que todavía estamos esperando ver en Sudáfrica imágenes de Tarzán como en las viejas películas, y no nos damos cuenta que estamos ante un país tan moderno y desarrollado como cualquier otro de Europa o América del Norte. Nosotros encontramos al profesor como un hombre decente y tranquilo, en otro tiempo un héroe deportivo, quien encuentra lo fácil que es no involucrarse sobre las injusticias de su sociedad. Él desaprueba la injusticia por principio, por supuesto, pero encuentra más prudente no embarcarse en ningún asunto.

Entonces un desastre golpea la vida de su jardinero, quien también ama a los suyos, y quien también vive una vida de familia, en un municipio a las afueras de la ciudad. Jonathan, el hijo del jardinero, es un rapaz inteligente, y la profesora le ayuda con una beca. Jonathan es arrestado casi al azar y encarcelado con muchos otros alborotadores, y entonces una cadena de sucesos inexplicables logra que Ben Du Toint abandone su postura educada y se involucre en unos hechos que en apariencia no le conciernen.

La película sigue paso a paso cuando él comienza a ver cosas que apenas puede creer, y empieza a sospechar que el muchacho y su padre han sido víctimas de un sistema judicial que soluciona los conflictos con los disidentes mediante el "suicidio". Él se encuentra con el abogado africano Stanley (Zakes Mokae) y con la esposa del jardinero (Thoko Ntshinga), y se ve inmerso pronto en una trampa para quitarle de en medio. Se entera que cuando un esposo muere, la viuda no tiene derecho legal para permanecer en su casa y debe instalarse en su "tierra natal", un lugar a docenas de kilómetros, desde donde será imposible que pueda realizar ninguna acción legal.

Como un hombre blanco respetado, el profesor se permite el acceso a los sistemas policiales y jurídicos, hasta que le demuestran que está realizando preguntas incorrectas y adoptando una actitud equivocada. Por su perseverancia pierde su trabajo y los tiros empiezan a llegar hasta sus ventanas. Su esposa (Janet Suzman, quebradiza e imperdonable) es despiadada cuando le escupe que él ha traicionado a su familia por mostrarse como un amante de los africanos y su hija lo encuentra una deshonra. Solamente su joven hijo parece comprender que él está tratando de una manera obstinada de hacer justicia.

"Una árida Estación Blanca" es una película poderosamente seria, pero el director, Euzhan Palcy, aporta su propio criterio, y en ocasiones la película deriva hacia un Shakespeare usado. Un abogado sudafricano famoso, interpretado por Marlon Brando, llega para lograr una apelación contra la versión de la policía sobre el suicidio del muchacho.

El personaje de Brando sabe que la apelación es inútil, que su intervención en la sala del tribunal será una charada, pero aun así él va adelante a su manera usando sorna y sarcasmo para hacer sus conclusiones, aunque el resultado es desesperanzado.

Brando, en su primera película desde 1980, tiene bastante diversión con este papel, a la manera de Charles Laughton u Orson Welles. Se permite en sí mismo gestos teatrales y nos asombra con participaciones dobles. Sus escenas no son lo mejor de la película, pero su trabajo en el papel del abogado con una mente brillante es muy efectivo, especialmente cuando usa cínicamente y cómicamente sus oportunidades para protestar.

Donald Sutherland está perfectamente como actor y se muestra sosegadamente efectivo como un hombre que no se desviará de sus convicciones morales, y aunque no desea ningún percance sobre sí mismo o su familia, no puede ignorar lo que le ha ocurrido a la familia de su amigo. La película agrada como "A World Apart" y "Cry Freedom", en donde el argumento se concentra en un personaje central de un blanco (quizá porque la película no podría haber sido financiada con un héroe negro), pero "Una árida Estación Blanca" muestra mucho más de la experiencia negra de África del Sur que las otras dos películas.

Muestra la vida diaria en los municipios, que no son las barriadas de la clase media, sino lugares simplemente muy pobres donde la gente pugna por vivir decentemente. Podemos oír las sutilezas orales cuando un africano inteligente demanda ayuda a un policía blanco, compareciendo humilde para ganar su atención. Muestra algunos de los detalles de la tortura policial que se describieron en "Move Your Shadow", de Joseph Lelyveld, el libro más comprensivo sobre Sudáfrica, y provee imágenes mentales para ser expuestas en las columnas de texto en los periódicos. La cobertura de televisión en Sudáfrica quedó anulada cuando el Gobierno prohibió el acceso de las cámaras mundiales al país (probando que el Gobierno sudafricano estaba solamente interesado en poner sus propios documentales, no la realidad de los acontecimientos). Aquí se muestran solamente algunos de los hechos más significativos.

Por ello la película es muy emotiva y efectista, al mismo tiempo que genera odio en el espectador hacia ese país. Euzhan Palcy, un cineasta de gran talento, que vivió treinta y dos años en Martinique, realizó su primera obra maestra sobre los labradores negros del Caribe en "Gugar Cane Alley". Aquí, con unas estrellas de Hollywood y un presupuesto más grande para el rodaje, todavía tiene el mismo ojo certero para mostrar todos los detalles de interés. Esta película no es simplemente un lote social y político para manipular al espectador, sino el examen doloroso del cambio en la conciencia de un hombre. Desde hace años él ha querido permanecer tranquilo y al margen de su país, quizá de buena gana, pero una vez que él ve la desgracia a su alrededor, no puede negarse a intervenir.

Premios:

Nominada al mejor actor secundario: Marlon Brando.

"El Novato"
(The Freshman)

1990.
102 minutos.
Color.
Tri-Star Pictures.

Productor: Mike Lobell.
Director: Andrew Bergman.
Guión: Andrew Bergman.
Intérpretes: Marlon Brando (Carmine Sabatini), Matthew Broderick (Clark Kellogg), Bruno Kirby (Víctor Ray), Penélope Ann Miller (Tina Sabatini), Frank Whaley (Steve Bushak) y Maximilian Schell (maître).

Ha habido muchas películas donde las estrellas han repetido sus triunfos pero jamás ninguna de ellas lo ha hecho más triunfantemente que Marlon Brando en "El Novato". Él hace aquí una regresión de su personaje más popular, Don Vito Corleone en "El Padrino", y lo hace con tal ingenio, disciplina y seriedad que no es una interpretación cualquier ni algo sencillo; es un cómico y brillante maestro.

El personaje que hace Brando se llama Carmine Sabatini, pero en el resto de los demás detalles él es El Padrino. Cuando mira y cuando habla, para la mayoría de nosotros tiene el mismo aire y autoridad de antaño. En la película, él proporciona un trabajo a un joven que acaba de llegar para comenzar sus estudios en la escuela de cine. El señor Sabatini le pide que haga de chico de recados para él y lo primero que tiene que hacer es recobrar un paquete en la terminal del aeropuerto y entregarlo en una dirección segura. Por supuesto, nosotros pensamos que es droga y que el hombre joven da por sentado que también lo es, pero realmente esta entrega es de una naturaleza más peculiar. Es un lagarto gigante.

El hombre joven es interpretado por Matthew Broderick y ha comenzado de una manera difícil su vida en la ciudad de Nueva York, después que todas sus posesiones y dinero fueron hurtados por un ladrón (Bruno Kirby), quien lo encontró en la Grand Central Estation y le ofreció dar un paseo. Ahora se da cuenta que está en peligro su estancia en la escuela de cine de la Universidad, puesto que el profesor (Paul Benedict) no quiere oír excusas; lo único que quiere oír es cómo todos sus estudiantes han comprado su libro. Cuando Kirby vaga por las calles, se encuentra con Broderick que lo persigue, lo captura y exige que le devuelva sus posesiones. Pero Kirby le ofrece algo mejor: le ofrece un trabajo.

El trabajo involucra un viaje a la Litle Italia, un barrio neoyorquino, y al mundo oculto detrás de un aparentemente sencillo club social, donde el mafioso Carmine Sabatini esconde su oficina. Sobre la pared está una fotografía de Mussolini, como objeto nostálgico, y explica que otros preferirían tener una foto de Los Beatles. La oferta de trabajo se ha hecho y ha sido aceptada (después de dos simbólicos apretones de mano), y antes de que Broderick se dé cuenta él ya forma parte de la gran familia de la Mafia.

Penélope Ann Miller (¿adivinan quién es su madre real?) interpreta a Tina Sabatini y tiene siempre un guardaespaldas con una ametralladora pegada al cuerpo a la entrada de su hogar. Hay también un cuadro de la Mona Lisa, pero hay quien asegura que es una copia. Para darle más categoría al cuadro, supuestamente robado en un museo, cada vez que alguien lo mira suena la voz de Nat King Cole cantando, obviamente, "Mona Lisa" en un sistema estéreo.

MARLON BRANDO   MATTHEW BRODERICK

El es un chico inocente.
El es un experto mafioso.
Esto puede ser el comienzo
de una buena amistad.

EL NOVATO

TRI-STAR PICTURES PRESENTA UNA PRODUCCION LOBELL/BERGMAN
MARLON BRANDO · MATTHEW BRODERICK
"THE FRESHMAN" BRUNO KIRBY · PENELOPE ANN MILLER · FRANK WHALEY   JULIE WEISS
DAVID NEWMAN   BARRY MALKIN   MICHAEL MacDONALD   KEN ADAM
WILLIAM A. FRAKER, A.S.C.   MIKE LOBELL   ANDREW BERGMAN
Columbia   DOLBY STEREO   A TRI-STAR RELEASE

175

"El Novato" fue escrito y dirigido por Andrew Bergman, un talento poco convencional para la comedia. "El Novato" es una comedia peculiar, indirecta y nada de lo que vemos es predecible, ni siquiera el trabajo de Broderick, el cual no guarda ninguna relación con sus anteriores interpretaciones, especialmente en una escena culminante donde gente muy rica está sentada esperando un banquete muy especial (el enorme lagarto) bajo la tutela de Maximilian Schell. También escuchamos a Bert Parks en una versión de la serenata "Maggie's Farma", que es diferente a ninguna otra versión anterior.

Cuando Brando terminó de filmar "El Novato" en el mes de septiembre, él criticó a la película en una entrevista para el *Toronto Globe & Mail,* sosteniendo que era una basura y que él se retiraba ya como actor. Unos días después, él retractó sus declaraciones y matizó que la película podría ser una buena obra después de todo. ¿Quién sabe qué móviles tuvo para esta declaración? ¿Quién sabe en realidad lo que pasa por la mente de Brando? El hecho es que mientras él está en la pantalla, pocos actores han conseguido jamás actuar mejor gracias a su presencia, pero personalmente quizá su propia actuación no cause la admiración que le gustaría.

Piense por cuántos motivos esta película hubiera podido ser un auténtico desastre y piense en el riesgo que Brando asumió cuando aceptó realizar este papel en una película con un director y guionista desconocido. Consciente de que mucha gente está esperando cualquier oportunidad para atacarlo, especialmente por su atrevimiento de cambiar su actuación más famosa, "El Padrino", por un personaje de comedia. Brando debe haber conocido esos peligros, pero él debe haber tenido confianza en sí mismo, y no le preocupan demasiado los deseos y opiniones de sus detractores, ya que, a fin de cuentas, si son detractores no van a ir a ver su película sea la que sea.

Los otros actores, quizá conscientes de las oportunidades que la presencia de Brando les proporcionaba, parecía que actuaban un poco con miedo de no estar a su altura. Broderick es la otra cara del papel central como el estudiante sincero, y Bruno Kirby proporciona mucha diversión con su modo de hablar, como si fuera un niño de la calle que sabe todos los trucos. Debemos mirar a "El Novato" como una película en la cual trabaja gente con talento que tienen la sincera intención de conseguir algo bueno.

"Cristóbal Colón: El Descubrimiento"
(Christopher Columbus: The Discovery)

1992.
120 minutos.
Color.

Productor: Ilya Salkind.
Director: John Glen.
Guión: John Briley, Cary Bates y Mario Puzo.
Basada en una historia de Mario Puzo.

Intérpretes: Marlon Brando (Tomás de Torquemada), Tom Selleck (rey Fernando), George Corraface (Cristóbal Colón), Rachel Ward (reina Isabel), Robert Davi (Martín Pinzón) y Catherine Zeta Jones (Beatriz).

"Cristóbal Colón: El Descubrimiento" hace una travesía por su cuenta, volviendo en el tiempo al decenio de 1930 y de 1940, cuando las películas dramáticas sobre los conquistadores se realizaban con gran energía y estilo. La película toma una de las más grandes historias de la humanidad y la muestra con tal carencia de sexo, que la larga travesía de Colón se le hace al espectador tan interminable como lo fue para los miembros de la tripulación.

Las estrellas de cine como el actor francés George Corraface, en el papel de Cristóbal Colón, nos recuerdan a un anuncio de perfumes. Cada vez que mira tiene una enorme sonrisa en su rostro y unos ademanes perfectos, pero no es capaz de mostrar ni un solo momento la angustia y la grandeza que debió tener Colón. Corraface no es ayudado por ninguno de los otros actores en particular, ni siquiera por Brando, quien realiza una de sus peores actuaciones, quizá porque era consciente del lío donde se había metido.

Como Torquemada, el inquisidor, Brando nos muestra su malhumor sobre el conjunto de malhumorados que trabajan a su alrededor, que no fueron capaces de entregar ni un mínimo de la energía necesaria para estar delante de una cámara. Brando habla a veces como si estuviera conversando por teléfono y a mí, como espectador, me apetecía colgarle.

Consciente de la personalidad tan diferente que su excesivo peso le otorga, Brando se muestra con capas negras muy amplias que debe poner siempre hacia su hombro derecho mientras camina, algo que ninguno de los demás actores son capaces de hacer con tanta habilidad. Quisiera recordar que Orson Welles también era un hombre grande, pero tenía la gracia de aceptar su cuerpo en vez de tratar de ocultarlo desde la cámara. Quizá la diferencia estriba en que Welles siempre fue gordo y Brando tuvo que asimilar sus kilos poco a poco, muy a su pesar.

Después que Colón sobrevive a una conversación con Torquemada, que suena como el examen oral para su doctorado en teología, convence al rey Fernando y la reina Isabel (Tom Selleck y Rachel Ward), para permitir fletar tres barcos en busca del Nuevo Mundo. Aquí entra otra parte de la película, en la cual los diálogos y la motivación parecen ser totalmente distintos; hay un indicio de que la reina Isabel ama a Colón y que Fernando tiene celos, pero las escenas se han mostrado tan severamente que solamente son indicios para mal pensantes, o sea, todos los espectadores.

Una vez Colón y la tripulación navegan hacia el Nuevo Mundo, la película se viene abajo con una rutinaria travesía, solamente rota por la decisión de algunos de abandonar (ya me dirán dónde podían ir en pleno océano). Como la tripulación amenaza motín, la oferta de Colón es permitir que le corten la cabeza si la tierra no es divisada en tres días, y desde luego el hacha desciende sobre su pescuezo, aunque, como ya sabemos, al final descubren las nuevas tierras.

Curiosamente, ni yo ni mi profesor de historia recordamos esto de la degollación de Colón durante mi época de estudiante escolar, así que ya se pueden figurar mi asombro cuando estaba viendo la película. Es como si el famoso cerezo de George Washington lo cambiasen por un campo de trigo o la manzana que inspiró a Newton fuese un meteorito. Otra de las muchas cosas raras de esta película es la manera en que Corraface, como Colón, se vuelve tan filosófico y alegre ante la perspectiva de perder su cabeza. Él parece considerarlo simplemente como una anécdota en su vida.

Colón y su descubrimiento de América son, por supuesto, no políticamente correctos y después de tantos años hay quienes afirman que en realidad Colón no descubrió nada y que lo único que hicieron, tanto él como los siguientes colonizadores, fue traer nuevas enfermedades y mucho genocidio a las Américas. Bueno, pero en esto de las colonias el que esté libre de culpa que tire la primera piedra y un repaso a la historia nos mostrará hechos similares en la colonización norteamericana de las tierras indias, el imperio británico usurpando tierras argentinas, chinas y de Sudáfrica, o el largo dominio de los franceses en África y América Central, y eso sin olvidar a los alemanes o los japoneses.

La historia no es corregida por los productores Alexander e Ilya Salkind, quienes se dedican a promocionar las escenas del desembarco de la Santa María en tierras de San Salvador, mientras vemos cómo una rata se escurre por la cuerda del ancla y se va a tierra. Seguro que los detractores de Colón alegarán que por eso hay ahora ratas en América.

Aunque para algunos, especialmente norteamericanos, este descubrimiento significa solamente la maldad que los europeos trajeron al Nuevo Mundo, el productor Salkind y su director, John Glen, son más generosos o más imparciales, al no mostrarnos lo que los conquistadores encontraron al llegar. Siguiendo la tradición de los antiguos historiadores, la relación entre los nativos y los viajeros tuvo que ser amistosa y la película gira en este sentido. Por ello Colón y sus hombres encuentran a un gran grupo de nativos amistosos, entre los cuales se encuentra la guapa hija del jefe, situada siempre estratégicamente en el centro de la cámara, quizá por el tamaño de sus pechos.

Mientras las velas de Colón enfilan de nuevo hacia Europa, y las diversas matanzas y peleas entre los dos bandos quedan atrás, Brando aprovecha para decir una o dos palabras importantes antes de que acabe la película.

"Don Juan de Marco"
(Don Juan DeMarco)

1995.
American Zoetrope.
97 minutos.
Color.

Productores: Patrick Palmer, Fred Fuchs, Francis Ford Coppola, Michael de Luca y Ruth Vitale.
Director: Jeremy Leven.
Guión: Jeremy Leven.
Intérpretes: Marlon Brando (Jack Mickler), Johnny Depp (don Juan de Marco), Faye Dunaway (Marilyn Mickler), Geraldine Pailhas (doña Ana), Bolb Dishy (doctor Paul Showalter), Rachel Ticotin (doña Inés) y Talisa Soto (doña Julia).

"Don Juan de Marco" es una película diferente que, como el carácter de su título, comienza de una manera misteriosa, con diálogos floridos, invenciones inexistentes y otras rarezas que nos desconciertan hasta que el director nos empieza a aclarar el argumento.

Pero la historia es tan rara que prácticamente no existe: un hombre joven que se llama a sí mismo Don Juan (Johnny Depp) asciende a un tablero de anuncios en Manhattan para suicidarse. En ese momento aparece un psiquiatra llamado Jack Mickler (Marlon Brando), quien habla al joven y le convence para que en lugar de suicidarse se realice un psicoanálisis en el hospital local mental, sin pagar la consulta, por supuesto. Como la opción es algo mejor, no demasiado, ambos acuden al hospital. Jack tiene diez días para probar que su paciente es un hombre cuerdo con una vida centrada en la fantasía, más que un caso de locura que necesita medicación y un informe médico complejo. Pero el carácter de Depp es sumamente interesante y se presenta a sí mismo como la reencarnación del amante legendario don Juan, el de doña Inés.

La película consiste principalmente en tres tipos de escenas: don Juan vestido como un andrajoso y espontáneo personaje que vive historias altamente curiosas y contradictorias sobre su niñez y su vida sexual; los instantes pasados de sus muchos encuentros carnales, y escenas domésticas dulces entre Jack y su esposa Marilyn (Faye Dunaway, quien no tiene un gran papel, pero nos demuestra que todavía le quedan muchos años gloriosos en el cine). En un determinado momento de la película tenemos a un don Juan rico y bastante erótico, quien al final triunfará sobre los cínicos que quieren encerrarle.

El guión, libre, incoherente y ligeramente estúpido, no dispone del menor resquicio para ser condescendientes con él. Afortunadamente, el escritor y director Jeremy Leven maneja las actuaciones con sinceridad y energía, al igual que los actores. Depp está extraordinario en el papel de don Juan, mezclando el idioma coqueto del cuerpo con la lúgubre mirada a lo Rodolfo Valentino, tratando de aportar un viejo acento español que parece aprendió leyendo en voz alta "El Quijote". Él interpreta a don Juan de una forma muy extraña, que hace que las escenas cómicas sean más cómicas y las eróticas más eróticas, consiguiendo, además, que los diálogos de Leven surjan espontáneos y sinceros. Marlon Brando está sorprendentemente efectivo en un papel clave, algo alejado de los personajes extravagantes de los últimos tiempos. Le vemos alerta, meditando y bastante generoso en permitir que las otras estrellas le roben sus propias escenas, quizá porque ya empieza a estar un poco cansado de pelear.

"Don Juan de Marco" no es una película perfecta; es lenta en algunas escenas, y Leven es mucho mejor escritor que director, lo que significa que la realización del filme rara vez equipara la pasión pura expresarla en los diálogos. Pero gracias a que la química entre los dos varones es buena, la película es una delicia desde el comienzo siempre que usted esté dispuesto a simpatizar con esta extraña historia de un don Juan sacado de su tiempo.

Premios:

Nominada a la mejor música: Michael Kamen, Bryan Adams y Robert John Lange.

"La isla del doctor Moreau"
(The Island of Dr. Moreau)

1996.

Lider.
96 minutos.
Basada en una novela de H. G. Wells.

Director: John Frankenheimer.
Intérpretes: Marlon Brando (doctor Moreau), Val Kilmer (Montgomery), David Thewlis, Fairuza Balk y Mark Dacascos.

1996 marca el centenario de la novela de H.G. Wells "La Isla del doctor Moreau" y también la tercera versión cinematográfica. La Paramount en 1933 hizo "The Island of Lost Souls" y hoy la consideramos como un acertado thriller de setenta minutos con una atmósfera pegajosa, y la presencia inestimable de Charles Laughton. Posteriormente, y con más y mejores medios técnicos y económicos, se hizo en 1977 una segunda versión con Burt Lancaster como el doctor Moreau, igualmente tenebrosa y acertada. Para final, el director John Frankenheimer recrea de nuevo la historia de Moreau, con mucho acierto, pero con bastante más confusión.

Nosotros estamos viviendo ahora unos años en los cuales se manipula genéticamente a animales y plantas (y quizá a los humanos), tal como predijo el gran escritor H.G. Wells. La película nos muestra una imagen bastante más sangrienta de lo que supone la manipulación genética, mucho más cerca de la realidad que la imagen que los pulcros científicos de hoy nos quieren demostrar cuando salen hablando en televisión. Si les viéramos en plena faena, con los animales tendidos en la mesa de operaciones aún vivos y quizá conscientes de la masacre, no nos horrorizaríamos tanto con esta película ya que, a fin de cuentas, la realidad es mucho más desagradable y censurable.

Cualquier parecido entre la realidad y la ficción de la película no es pura coincidencia y, aunque los métodos de la cirugía moderna nos parezcan más refinados, no dejan de ser una manipulación sobre la vida de seres cuya única desgracia es no haber nacido humanos.

La acción comienza nuevamente cuando un viajero llega a una tierra extraña. En esta ocasión es un hombre inglés (David Thewlis) con una pacífica misión, ya que él está equipado para tratar de demostrar los fallos sobre la naturaleza bestial del homo sapiens y deplorar la presunción divina de los científicos que quieren crear una raza mejor. Otras personas preferirían oír hablar más sobre la teoría de Moreau, que es "la misma esencia del diablo", y tratar de demostrar que mediante la ingeniería genética se puede producir una "criatura divina y pura, armoniosa, incapaz de ejercer la violencia". El manuscrito también acoge el dilema existencial y espiritual de alguna criatura, incluyendo el interrogatorio formal de dos monstruos, uno de ellos que pregunta a su padre: "¿Quién soy yo?, ¿qué soy yo?, ¿por qué soy yo así?"

Las preguntas son todas buenas, pero ninguna de ellas recibe una respuesta satisfactoria. Ni lo hacen tampoco los escritores o el director Frankenheimer, preocupados esencialmente con el ritmo de la película. Allí no hay un desarrollo dramático y todos los intentos esporádicos de Thewlis por lograrlo se centran en encontrar la radio que genera diversas señales para conseguir la colaboración de las criaturas. Cuando se produce una avería, la rebelión de las criaturas de Moreau es monótona e intensiva. La causa y el efecto se confunden en algunas escenas, como cuando una bestia humana llamada Montgomery (Val Kilmer) ve al doctor Moreau mordiendo el cuello de un conejo para la cena, y decide enseñar a las demás criaturas a matar. ¿Se trata de que Montgomery, quien parece tener las facultades intelectuales aumentadas, trata de socavar el ordenado mundo de su jefe?

La presencia de Brando es casi como un invitado de lujo al que se le proporciona una caracterización increíble y ciertamente desagradable, al menos si la comparamos con el papel más seductor de Burt Lancaster en la versión anterior. Brando se mueve pausadamente y la mayoría de las veces es transportado en una silla por sus criaturas, mientras lleva un traje blanco inmaculado que pronto acaba manchado. No es ésta precisamente una película para las veteranas admiradoras de Marlon Brando, el guapo chico de "Un tranvía llamado Deseo". A su lado corretea Val Kilmer, que parece demostrar con su mirada su hostilidad real a Brando.

"Free Money"

De Yves Simoneau.

Intérpretes: Marlon Brando, Mira Sorvino, Charlie Sheen, Donald Sutherland, Nicolás Cage, Alec Baldwin y Patrick Swayze.

"A Civil Action"

Intérpretes: Marlon Brando y John Travolta.

ÍNDICE

Págs.

Marlon Brando 9
   Francis Ford Coppola 17
   Su mala reputación 23
   Su vida personal 25
   Soberbia o inseguridad 27
   La obesidad 28
   Sus años jóvenes 29
   Un gran actor 31
   Los buenos actores nunca mueren 33
   Orgulloso, sensible, trabajador e intransigente 37
Biografía 39
   El teatro 43
   Los primeros triunfos 46
   Nuevas oportunidades 50
   Tennessee Williams 53
   El largo éxito de "Un tranvía llamado Deseo" 55
   Después del primer éxito 57
   El temprano triunfo 58
   Un carácter insoportable 60
   Sus amores 63
   Los papeles que pudo interpretar 65
   Una película problemática 67
   El éxito de "El Padrino" 71
   Una película erótica 72
Intervenciones en el teatro 75
Filmografía 79
   "Hombres" 79

187

"Un tranvía llamado Deseo" 82
"¡Viva Zapata!" 88
"Julio César" 97
"¡Salvaje!" 104
"Désirée" 105
"La Ley del Silencio" 107
"Ellos y ellas" 113
"La casa de Té de la Luna de Agosto" 114
"Sayonara" 116
"El baile de los malditos" 117
"Piel de serpiente" 118
"El rostro impenetrable" 120
"Rebelión a bordo" 121
"Su excelencia el embajador" 123
"Dos seductores" 124
"Morituri" 125
"La jauría humana" 127
"Sierra prohibida" 128
"La condesa de Hong-Kong" 129
"Reflejos en un ojo dorado" 132
"Candy" 134
"Queimada" 135
"La noche del día siguiente" 137
"Los últimos juegos prohibidos" 138
"El último Tango en París" 139
"El Padrino" 145
"Missouri" 154
"Apocalipsis Now" 155
"Supermán" 159
"La Fórmula" 164
"Una árida Estación Blanca" 167
"El Novato" 173
"Cristóbal Colón: El Descubrimiento" 177
"Don Juan de Marco" 181
"La isla del doctor Moreau" 183
"Free Money" 186
"A Civil Action" 186

Títulos publicados en esta colección

Elvis Presley

Rita Hayworth

Bette Davis

Tom Cruise

Humphrey Bogart

Brad Pitt

Gene Kelly

Sean Connery

Michelle Pfeiffer

Marlon Brando

James Dean

La Guerra de las Galaxias / Star Treck

Sigourney Weaver

Los Hermanos Marx

Frank Sinatra

Harrison Ford

Woody Allen

Charles Chaplin

Mario Moreno «Cantinflas»

Marilyn Monroe